W9-CPE-590

# RADIOGRAPHIE

du même auteur
au **cherche midi**

*On préfère encore en rire*, 2013.
*On va s'gêner!*, 2013.

Laurent Ruquier

# RADIOGRAPHIE

COLLECTION **DOCUMENTS**

cherche
**midi**

Vous aimez les documents ? Inscrivez-vous à notre newsletter pour suivre en avant-première toutes nos actualités :
**www.cherche-midi.com**

Direction éditoriale : Arnaud Hofmarcher


23, rue du Cherche-Midi
75006 Paris

1

# Rue Paul-Louis-Courier, Le Havre

Mes premiers souvenirs de radio datent des années 1970, *La Case Trésor* (1971-1976), une émission de RTL animée par Fabrice, qui démarrait toujours par ce dialogue avec le public:

« Bonjour à tous, bonjour à toutes!

– Vive l'empereur! »

La voix de l'empereur sortait d'un transistor nasillard installé au-dessus du réfrigérateur, qu'on appelait communément frigidaire. C'était l'heure du déjeuner; tous assis autour de la table à rallonges de la cuisine familiale, nous écoutions les jeux de *La Case Trésor*: « Si on chantait », « L'accord parfait » ou la fameuse « valise RTL ». Il n'y avait pourtant aucune chance que Fabrice ou Michel Drucker, qui lui succéda avec *La Grande Parade*, nous appellent pour nous demander le montant de la valise, puisque nous ne possédions pas le téléphone, au cinquième étage de notre HLM du 12 de la rue Paul-Louis-Courier, au Havre !

Jusqu'à l'âge de 14 ans, j'ai vécu et je suis passé tous les jours devant ce panneau « Paul-Louis Courier (1772-1825) Publiciste », sans savoir ce qu'était un publiciste ; sans savoir que Courier était un journaliste, essayiste écrivant sur la politique, un pamphlétaire, polémiste... C'était pourtant un premier signe envoyé par les bonnes fées normandes qui se sont penchées sur mon berceau, pour ne pas dire lit à barreaux.

Nous étions cinq enfants et, même si ma sœur, l'aînée, s'est mariée très vite, chaque midi ouvrable, ma mère faisait deux services. Chacun avait des horaires différents et nous tenions difficilement à six ou sept derrière ce qui ressemblait plus à une table de camping qu'à celle d'une cuisine normande. Voilà sans doute la raison pour laquelle mon père a longtemps préféré ne pas partir en vacances plutôt que d'aller dans un camping. Le camping, c'était tous les midis à la maison.

« Qu'est-ce qu'on mange ?

– Des briques soufflées à la mode caillou ! »

C'était à peu près le seul type d'échanges que je pouvais avoir avec ma mère ; ça tombait bien, elle me nourrissait au lance-pierre. Il fallait laisser la place à mon père, qui était ouvrier et dont les horaires faisaient qu'il arrivait toujours en cours de repas. Elle avait aussi, de toute évidence, hâte d'en finir avec cette corvée journalière : ma mère a toujours bien chanté, mais toujours très mal cuisiné !

Certes, elle devait faire avec peu de moyens, mais une fois mes quatre frères et ma sœur « casés » – on disait comme ça puisque leur mariage signifiait une bouche en moins à nourrir –, même avec plus de moyens, ça restait moyen : des pâtes, des pâtes et toujours des pâtes... Je me demande comment je n'en ai pas été dégoûté à vie !

Depuis, j'ai découvert l'Italie et compris qu'on pouvait en manger autrement qu'avec du beurre et un « Frionor » planté au milieu (c'était la marque du poisson pané, mais j'ai longtemps cru que c'était le nom du poisson lui-même).

Les repas n'étaient pas servis mais expédiés, même quand « on recevait du monde » : l'entrée n'était pas terminée que le plat principal arrivait. Aujourd'hui encore, j'ai gardé la fâcheuse habitude d'avaler mes repas en un temps record, ce qui provoque l'étonnement de mon entourage. Il faut dire qu'il n'y avait pas de raison de savourer les plats trop ou pas assez cuits et les gâteaux maison souvent ratés.

Ma mère, qui a toujours eu réponse à tout – j'ai de qui tenir –, prétendait alors, en toute mauvaise foi : « Ça se mange comme ça ! »

« Ça se mange comme ça ! » J'entendais cette phrase à peu près à chaque repas, sauf les samedis soir et dimanches midi, où mon père, qui ne disait rien, mais n'en pensait pas moins, préférait cuisiner lui-même et savait préparer le soufflé au fromage ou accommoder d'une bonne sauce tomate un jambonneau qui, sans lui, aurait terminé collé entre deux pâtes mal égouttées. Autant vous dire que je n'ai jamais entendu l'expression *al dente* avant mes 18 ans.

En semaine, donc, mon père « rentrait manger le midi ». Je le revois accrochant son cuir à la patère, qui n'avait rien de familiale, puisqu'elle lui était réservée. C'était la patère du père, dur à cuir, revenant les mains noircies par le labeur à bord. Il travaillait pour les chantiers de Normandie, une entreprise de réparation navale qui lui avait fait descendre la Seine, des chantiers de Rouen à ceux du Havre. Un coup de « ça décrasse », le savon qui nettoyait ses mains de chaudronnier, et il nous rejoignait à table.

Je me souviens, tout petit, j'adorais qu'il me demande, une fois mon yaourt terminé, d'aller lui chercher son paquet de gauloises qu'il laissait volontiers dans les poches de son manteau. Je me précipitais pour lui faire plaisir et allais fouiller entre les clés, le tabac qui s'était dispersé, le mouchoir et les allumettes qui se baladaient. Mon père travaillait beaucoup et fumait tout autant. Je sais que, très vite, quand on me demandait ce que je voulais faire plus tard, je répondais : « Travailler dans un bureau. » C'était mon unique ambition : ne pas revenir du travail avec les mains noircies et ne pas avoir à utiliser du « ça décrasse ».

J'avais donc une dizaine d'années quand, chaque midi, j'écoutais, en avalant mes briques soufflées, l'animateur Fabrice interroger des couples candidats sur leur fidélité : « Votre mari est bloqué pendant trois jours et trois nuits, en pleine montagne, dans un chalet, avec Raquel Welch (aujourd'hui, ce serait Scarlett Johansson) ; au bout de combien de nuits va-t-il craquer et vous être infidèle ? »

Ça faisait rire mes parents et mes frères, mais moi, je ne voyais pas bien ce qu'on pouvait faire avec Raquel Welch dans un chalet... D'après le regard de ma mère, je comprenais quand même que ce n'était pas de mon âge.

J'aimais déjà la radio et je me souviens qu'à Gérardmer, dans les Vosges, à l'occasion des premières vacances qu'ont pu s'offrir mes parents, j'avais voulu me rendre, seul, sur la principale place de la ville. J'avais vu, près du petit hôtel deux étoiles où nous logions, des affichettes : « FABRICE, LA CASE TRÉSOR, AUJOURD'HUI À GÉRARDMER ».

Quelle ne fut pas ma déception quand je m'aperçus que les candidats aux jeux défilaient sur un podium, un maréchal de l'empereur leur tendant un micro, mais que l'empereur lui-même n'était pas sur place, mais en studio à Paris ! On entendait certes sa voix à travers de grosses enceintes, mais on ne le voyait pas plus à Gérardmer que dans la cuisine de la rue Paul-Louis-Courier. Je découvrais qu'animer c'était aussi parfois tricher ! Pas grave, un jour, je le verrais en vrai, Fabrice, j'en étais sûr !

Étions-nous pauvres ? Oui, si la définition du pauvre c'est de ne pas être riche. Mais pauvre, pour moi, c'est ne pas avoir de logement ou de quoi se nourrir ; or, enfant, je n'ai jamais eu le sentiment de manquer de quoi que ce soit. À mes yeux, nous étions une famille modeste ; à bien y regarder, encore un peu plus modeste que les autres familles de notre escalier.

Ma mère élevait ses enfants et comptait le temps que nous passions sous la douche pour économiser l'eau. Il ne nous serait jamais venu à l'idée de laisser une lumière allumée en quittant une pièce. C'est qu'en fin de mois il fallait dans les délais impartis pouvoir aller payer fièrement le loyer, dans l'immeuble d'en face, au guichet de la concierge, madame Lecointre. Ce n'était pas encore l'époque du virement bancaire.

Mon père se déplaçait en mobylette et mes premiers complexes d'infériorité sociale sont venus en réalisant que les neuf autres familles de l'escalier possédaient, elles, une voiture, et que, l'été, la plupart de mes copains partaient en vacances pendant que je passais juillet-août en bas de notre HLM.

Je devais avoir 11 ans, mes trois frères et ma sœur étaient déjà mariés ou travaillaient tous – puisque j'étais « le petit dernier » – quand mes parents et moi sommes enfin partis en vacances d'été.

Je revois mon père choisir les destinations, calculette à la main, additionner les frais SNCF (moins la réduction carte de famille nombreuse), le prix des nuits d'hôtels sélectionnés dans une liste envoyée par les syndicats d'initiative, les frais de sandwichs ou de restaurants et ce qu'on appelle « les extras ». Il fallait que tout ça rentre dans le budget !

Gérardmer, Annecy et Loguivy-de-la-Mer, dans les Côtes-d'Armor, furent mes premiers congés hors du Havre, collé entre les jambes de mes parents.

Avant, j'aurais pu aller en colonie de vacances, comme mes trois frères aînés qui partaient grâce aux tarifs sociaux des « petites A » (Foyer havrais des œuvres laïques). Cela n'est jamais arrivé. De même, contrairement à eux, je n'ai jamais été inscrit dans un club de foot. Et tout cela pour la même raison : ma mère préférait me garder près d'elle, à la maison. Pas pour me couver, puisque je n'ai pas souvenir d'avoir été dorloté dans ses jupes, ni même d'avoir été bisouté ou pris dans ses bras à l'excès. C'était tout le contraire. Les marques d'amour, de tendresse ou d'affection n'ont jamais eu cours dans notre famille, à tel point qu'aujourd'hui encore, tâche très difficile dans ce métier, je redoute la moindre embrassade ou accolade.

Non, ma mère me gardait près d'elle uniquement pour avoir une présence. Une simple présence, puisqu'elle ne me parlait pas. Je n'ai pas souvenir du moindre début de dialogue, de la moindre transmission, ni même d'un simple conseil qu'elle aurait pu me donner. Je viens d'une famille de « taiseux ». On me dit souvent que je suis l'exemple d'un *self-made-man*, mais j'ai surtout été un *self-made-child*...

On m'appelait « le bézot », « le caillot », autant d'expressions cauchoises censées désigner le dernier poussin.

J'étais surtout celui qui n'aurait pas dû être là, « l'accident » ! Combien de fois, lors de réunions de famille, ma mère m'a-t-elle ainsi montré du doigt, ajoutant à chaque fois : « Si j'avais eu la pilule, il ne serait pas là, celui-là ! » ?

Comme à l'époque je ne savais pas ce qu'était la pilule, ça ne me traumatisait pas plus que ça, mais je sentais bien que ce n'était pas des mots très agréables. Le tact était rarement invité chez nous.

En 1963, ma mère avait 39 ans, quand je suis venu au monde à la maternité du Havre. J'arrivais en même temps qu'eux dans la cité créée par François Ier. Ils devenaient des gens de la ville, au moment où apparaissait un cinquième enfant qui n'était pas désiré. Que de changements pour mes parents !

Jusque-là, ils avaient habité Pavilly, Bonsecours, Sotteville-lès-Rouen ; la campagne ou la banlieue rouennaises. J'avais au moins ça d'unique : j'étais le seul Havrais de toute la famille.

Il va de soi qu'après une fille et trois garçons, dans l'ordre, ma mère espérait avoir une deuxième fille. Ça aussi, je l'ai souvent entendu. Certains trouveront là un des facteurs du développement de mon homosexualité, mais ceci fera peut-être un jour l'objet d'un autre livre.

Mon premier voyage à Paris, ce fut à l'occasion du mariage de ma sœur. Elle avait rencontré un « Parisien » en déplacement professionnel au Havre et, afin de préparer les noces avec la belle-famille du 75, mes parents et moi sommes « montés » pour la première fois « à la capitale ».

J'avais 6 ans et j'en ai peu de souvenirs, à part quelques photos de moi en short et socquettes au zoo de Vincennes ou devant la tour Eiffel. Curieusement, il y en a aussi une devant le Casino de Paris, où je n'imaginais pas qu'un jour je serais sur scène pour jouer mon one-man-show.

Comme de vrais touristes étrangers, mes parents avaient aussi cassé la tirelire pour aller applaudir la revue des Folies Bergère, et ça, j'en ai un souvenir très précis : nous étions entourés de Japonais et tous s'amusaient en me montrant du doigt, le show étant à l'époque interdit aux moins de 12 ans. Je voyais ainsi pour la première fois du vrai music-hall avec des plumes, des paillettes, des lumières éblouissantes, des jets d'eau et surtout des femmes aux seins nus.

Le deuxième et dernier spectacle dans le même genre que j'ai dû voir en famille un peu plus tard doit être *Holiday on Ice*, au palais des Sports de Paris, déplacement organisé cette fois par le comité d'entreprise des chantiers de Normandie.

Chez nous, les sorties « culturelles » étaient rares, pour ne pas dire inexistantes, faute d'argent mais aussi d'intérêt. « Ce n'est pas pour nous », « on voit aussi bien à la télé», «on n'a pas besoin de ça» sont les réponses que j'ai le plus souvent obtenues face aux envies que je pouvais avoir en feuilletant *Le Havre Presse* ou *Paris Normandie*: Barbara à l'Omnia Gaumont, Raymond Devos au Normandy ou même le cirque qui s'installait place Gambetta. Tout ça n'était pas à notre portée. Une fois par an, le 31 décembre au soir, mes parents m'emmenaient au cinéma, sortie payée par «mémère Fifine». Ma grand-mère s'appelait Joséphine. C'était bien la peine d'avoir un prénom d'impératrice!

Grâce à elle, j'ai vu *Les Aristochats, La Belle et le Clochard, La Cuisine au beurre*, avec Bourvil et Fernandel, ou *Rabbi Jacob*, avec de Funès. C'était pour nous à chaque fois un événement.

Autant vous dire qu'aujourd'hui, quand je rechigne certains soirs à aller à une projection de presse, une avant-première, un concert ou une pièce de théâtre parce que je me suis déjà tapé deux films ou deux générales dans la semaine pour la préparation de mes émissions, il y a toujours une petite voix intérieure, celle du «caillot du Havre», qui me souffle: «Ne te plains pas! Des milliers de gens aimeraient être à ta place et avoir la possibilité d'aller gratuitement au cinéma ou voir des spectacles.»

Je sais d'où je viens, je m'en souviens, et je sais que cette vie est le quotidien de la majorité des Français qui m'écoutent ou me regardent. Quand je suis au bureau, vers 6h30 du matin, et que j'épluche la presse avec mon collaborateur Arnaud Crampon, nous nous tapons souvent des fous rires en découvrant et en détournant certaines infos. Je me surprends alors à dire à voix haute : « On fait quand même un beau métier : on est payés pour lire les journaux et en plus on rigole ! » Pourtant, quand mes meilleurs amis me demandent comment ça va, je leur réponds à chaque fois : « Je suis fatigué ! » Et c'est la vérité.

Entre la radio, la TV, le théâtre, l'écriture et la production d'artistes, on le serait à moins. D'où la question que me posent les journalistes : « Mais pourquoi vous en faites autant ? » Systématiquement, je leur réponds : « Parce que je fais un métier passionnant, parce que c'est important de diversifier ses activités, parce que lire, aller au spectacle ou faire de la radio, ce n'est quand même pas l'usine ! C'est de l'ordre du loisir pour la plupart des Français et c'est comme ça que je dois continuer à l'envisager. »

Tout bien réfléchi – ce qu'un journaliste ne vous laisse jamais le temps de faire –, je crois que si je travaille autant, c'est pour être fatigué ! Si je ne l'étais pas, je n'aurais pas l'impression de mériter mon salaire.

Pardon, mes salaires. Pardon, mes salaires mirobolants.

Mirobolants par rapport à mon père, que j'ai vu rentrer fatigué, crevé même, après des journées éreintantes d'un travail de force dans le froid, sous la pluie ou sous une grosse chaleur, de jour comme de nuit, au milieu de l'amiante – dont on ne savait pas les dangers. Tout ça sans compter les heures, ou plutôt non, en comptant sur ces heures supplémentaires pour mettre du beurre normand dans les épinards. Quand un porte-conteneurs ou un paquebot devaient repartir réparés à une date donnée et qu'il fallait enchaîner les journées et les nuits de travail, il était toujours volontaire.

Ce que je fais aujourd'hui n'a rien à voir avec ce qu'était son métier, et je sais bien qu'on me rétorquera toujours qu'il est plus facile de trouver dix bons chaudronniers que dix animateurs à succès ou dix auteurs de théâtre (c'est de moins en moins vrai, et même aujourd'hui, c'est l'inverse), mais je pense que je ne pourrai jamais m'habituer à cet écart de salaire insensé entre lui et moi. Alors, la moindre des choses, c'est d'être fatigué !

J'ai beaucoup de respect pour mon père, qui est parti il y a huit ans maintenant, à l'âge de 75 ans, après quinze années d'une retraite bien méritée. C'était un homme rude et, s'il n'était pas d'une violence excessive, on n'était quand même jamais à l'abri d'une bonne tarte dans la figure. Il reste avant tout pour moi un père de famille qui a bossé dur pour nourrir ses cinq enfants.

Mon père était un ouvrier de gauche, mais pas un militant. Je n'ai pas souvenir qu'il ait jamais manifesté ou même fait grève.

Je me rappelle au contraire qu'un de mes frères, qui fut engagé dès 16 ans comme ajusteur de bord dans la même entreprise, le traita de « jaune », ou de « suppôt du patron », un jour où un conflit s'éternisa sur les chantiers. Il avait sûrement raison, mon père n'avait pas l'âme d'un grand révolutionnaire. Pourtant, une de ses plaisanteries favorites, quand nous habitions rue Paul-Louis-Courier, c'était de dire à propos du boucher de la rue : « En cas de révolution, il est sur la liste rouge, je monte sur le toit de l'immeuble avec une sulfateuse et c'est lui qui y passe le premier ! » Mon père n'acceptait pas que Bellet (c'était le nom de notre boucher) vende à ma mère des steaks qui n'étaient pas très tendres. Il n'y avait donc pas de raison de l'être plus que sa viande.

« Mais pourquoi tu ne vas donc pas chez Maillard ? C'est un peu plus loin, mais la viande est meilleure !

– C'est un peu plus cher », répondait ma mère, qui, aujourd'hui, à 90 ans, n'a pas beaucoup changé. Elle préfère encore prendre le bus ou aller à pied jusqu'au cimetière plutôt que prendre un taxi que nous pouvons payer.

Autant mon père a toujours voulu être le plus discret possible en public, autant dans le privé il faisait preuve de beaucoup d'humour.

J'ai déjà raconté à la radio qu'une fois à la retraite mon père avait acheté un vélo d'appartement sur lequel ma mère s'entraînait parfois. Un jour qu'elle en descendait, elle clama, toute fière : « J'ai fait cinq kilomètres ! » Et mon père lui répondit : « Et tu n'as même pas ramené le pain ! » Voyez, j'avais de qui tenir.

Il y avait peu de livres à la maison. Pourtant, mon père aimait lire. Son journal, d'abord: *Paris Normandie* ou *Liberté-Dimanche,* le journal normand du 7e jour. Tous les ans, un grand concours régional était organisé par le quotidien. Chaque jour, une question de société était posée, par exemple: «Pour ou contre le rectangle blanc à la télévision?» Deux personnages de BD, Poustiquet et Hortense, sa femme, exprimaient des avis contraires. L'un était pour, l'autre contre, et il fallait choisir la réponse, soit selon ses propres opinions, soit – si on voulait gagner – selon ce qu'on pensait être l'opinion majoritaire. À la fin, les familles les plus représentatives de l'ensemble des lecteurs étaient récompensées. Chaque soir, après un vrai débat à la maison, mon père me laissait le soin de découper les images de Poustiquet ou d'Hortense en fonction de la réponse que nous avions choisie. Je les conservais fièrement jusqu'à la fin du concours. Gare à moi s'il en manquait une!

Hélas, nous n'avons jamais gagné ni voyage, ni téléviseur, ni même un abonnement au *Havre Presse*; à croire que nous n'étions pas le foyer le plus représentatif de toute la Haute-Normandie!

Mon père lisait aussi ce qu'il y avait de plus sacré pour lui dans la maison: le *Quid* et *Le Petit Larousse.* Il était toujours plongé dans l'un ou l'autre. Il aimait ainsi se cultiver avec les moyens du bord (c'est le cas de le dire), mais il était curieux de tout. Ma mère aussi était curieuse, mais c'était derrière son rideau, ou l'oreille collée à la porte pour écouter ce qui se passait chez les voisins. Un livre, pour ma mère, c'était *Télé Poche* ou *Modes et Travaux*.

Très vite, j'eus le droit pour ma part à mon *Pif Gadget* hebdomadaire et je me régalais des aventures de Pifou, Placid et Muzo, Rahan ou du Dr Justice. Comme beaucoup d'enfants de cette époque, j'aurais pu pleurer si j'avais raté la poudre de vie qui permettait de faire naître des pifises (en fait, des artémies) dans un aquarium. Moi aussi, j'ai installé dans une boîte d'allumettes avec du coton, au-dessus d'un radiateur, les fameux pois sauteurs du Mexique !

Heureusement, avec nos voisins de palier, nous échangions des « livres ». Chaque début de semaine, je déposais mon *Pif* de la semaine passée sur le paillasson des « Jemin » et, en échange, je recevais l'avant-dernier numéro du *Journal de Mickey*. Les parents faisaient la même chose avec *Télé Poche*, une fois les programmes TV caducs, et nous obtenions un vieux *Télé 7 Jours* en échange. L'intérêt était plus limité... mais je lisais tout ! Enfin, tout ce que j'avais sous la main... Voilà pourquoi j'ai longtemps été plus incollable sur *Thierry la Fronde*, Guy Lux ou *La Maison de Toutou* que sur Julien Sorel, Balzac ou la Villa Médicis.

Avant d'être un adolescent de la radio, j'ai donc été, les douze premières années de ma vie, un enfant de la télé. La télé est arrivée chez mes parents en 1963, en même temps que moi. Le poste de télévision était mon frère jumeau : la preuve, quand il était éteint, je me voyais dedans. Je ne pouvais pas me douter qu'il serait mon jumeau au point qu'un jour je me verrais dedans une fois allumé.

Avant de déménager au Havre, mes frères et ma sœur allaient voir la télé de temps en temps chez les voisins, à Sotteville-lès-Rouen. Pour moi, elle a toujours fait partie de la famille. C'est elle qui me disait d'aller me coucher grâce au marchand de sable qui apparaissait dans *Bonne nuit les petits*, elle qui m'emmenait au cinéma grâce à *La Séquence du spectateur*, elle qui me cultivait grâce aux huit épisodes de *L'Odyssée* réalisés par Franco Rossi, « d'après le poème d'Homère », comme il était écrit au générique. Pour moi, Ulysse était donc avant tout un héros de série TV !

Mais ma chouchoute, à la télévision, c'était Anne-Marie Poisson ! Il paraît que j'avais encore des couches quand je me précipitais vers le poste dès qu'elle apparaissait. Même si je ne savais pas bien dire son nom, c'était la femme la plus souriante de la maison. Anne-Marie Peysson fut la première speakerine réputée pour son sourire, ses rires et son fou rire, la première à être naturelle et spontanée, parce que, dès qu'elle bafouillait, ça la faisait marrer.

Mes parents me laissaient la regarder aussi quand elle coprésentait *Le Palmarès des chansons*, avec Guy Lux, et, grâce à elle, je sus très vite comment naissaient les bébés, puisqu'elle fut la première animatrice à apparaître enceinte à la télévision.

Nous étions en 1966, je n'avais pourtant que 3 ans, mais je sais qu'on ne parlait que de ça, à table. « Comment une femme dont on peut voir le ventre rond de sa grossesse peut-elle oser apparaître à l'écran !? »

On a du mal à imaginer qu'à l'époque cela créait le scandale. Heureusement, dame Peysson recevait aussi de nombreuses lettres de soutien des téléspectateurs. La France était séparée en deux ! On s'écharpait dans les familles. Anne-Marie Peysson pouvait-elle continuer à présenter enceinte à la télévision ? Si j'avais pu appeler SVP 11 11, j'aurais voté oui tant je ne l'aurais ratée pour rien au monde.

Par elle, j'ai appris la naissance, mais aussi la mort... Oui, la première fois que j'ai dû entendre parler de ce sujet tabou, c'est parce que le père de son enfant, Jean Falloux, un cascadeur, était mort sur le tournage du film *Les Grandes Vacances*. Le drame faisait la une de tous les magazines de l'époque. Pourtant, les années passaient et Anne-Marie était toujours souriante. C'était comme une deuxième maman, pour moi ; le matin, sur RTL, c'était elle aussi que j'entendais. Davantage que le son de la voix de ma mère, qui l'écoutait religieusement. Au début des années 1970, c'était toujours Anne-Marie qui ponctuait nos samedis et dimanches matin avec le fameux « Stop ou Encore ». À l'époque, on avait droit à sept titres consécutifs d'un même chanteur tant que les auditeurs le plébiscitaient.

J'aurais bien appelé pour entendre sept chansons de Bourvil, mais il n'avait pas besoin de moi et je vous l'ai déjà dit : jusqu'en 1977, nous n'étions pas abonnés au téléphone !

On comptait peu de livres à la maison, puisque c'était le porte-revues qui faisait office de bibliothèque, mais le tourne-disque, lui, remplaçait de temps en temps la télévision. Il était dans la grande chambre, celle qui fut, jusqu'à son départ, réservée à ma grande sœur, puis à mes deux frères aînés.

Je partageais la mienne avec Alain, celui qui était « le petit prince » de la maison, jusqu'à ce que je le déboulonne « pour des raisons indépendantes de ma volonté ». Chacun récupérerait ensuite la chambre contenant les disques au fil des mariages des uns et des autres.

Quand ils n'étaient pas là, j'avais le droit d'aller poser le bras magique sur les vinyles achetés par ma mère ou mes frères aînés. J'avais une maman quadra et des frères et une sœur ayant entre huit et treize ans de plus que moi ; vous comprenez maintenant mieux pourquoi mes références musicales et parfois mes goûts sont plus anciens que ceux des gens de mon âge.

Si j'en juge par les premiers disques écoutés, on était très « variété française » à la maison. Pour un album des Pink Floyd ou des Rolling Stones ramené par mon frère Alain, je récupérais surtout des dizaines de 33 tours de Nana Mouskouri, Frédéric François, Michel Delpech, Salvatore Adamo ou Marie Laforêt, dont j'admirais déjà les yeux et la voix en faisant tourner en boucle « Ivan, Boris et moi ».

*Lorsque nous étions encore enfants,*
*Sur le chemin de bruyère,*
*Tout le long de la rivière,*
*On cueillait la mirabelle,*
*Sous le nez des tourterelles.*

Pour animer mes premières émissions, j'allais donc faire avec ce que j'avais. Oui, parce que j'animais déjà mes premières émissions : je m'enfermais dans la chambre des « grands » et je n'avais pas 11 ans que je m'amusais à présenter les disques comme si j'animais *Ring Parade* ou *Le Palmarès des chansons*.

Vous aurez compris qu'on n'était pas très « Jacques Chancel » chez les Ruquier (sauf, parfois, « pour faire bien », quand de la famille – un peu plus « chic » – venait à la maison).

Je m'amusais aussi à cette époque à imiter les imitations de Thierry Le Luron, oui, celles que je fais aujourd'hui quand on me pousse un peu et qu'on croit que je ne me rends pas compte qu'on se fout de moi.

On est en 1971 et ce sont les débuts de Thierry Le Luron, qui, l'année précédente, s'est fait connaître grâce au *Jeu de la chance* – le *The Voice* de l'époque. Il n'a donc que 19 ans quand il enregistre son

33 tours live, *Olympia 1971*, dont je ne me suis jamais séparé. Et moi, à 8 ans, vlatypa (du verbe vlatyper bien connu en Normandie) que je me retrouve en train d'imiter Darry Cowl, Jacques Chaban-Delmas, Françoise Hardy, Guy Béart, Salvador Dalí ou même Jean Nohain !

Et pas seulement devant le tourne-disque familial. Très vite, j'ai réalisé le pouvoir de ce talent de société : enfin, on allait s'intéresser à moi !

C'est dans les réunions familiales – noces et banquets, fiançailles, anniversaires et fêtes de Noël – que je pris vite l'habitude de monter sur ma chaise pour reproduire tout l'album de Le Luron. Tout ou presque, puisque, dans un rituel immuable, il fallait laisser aussi ma mère chanter : « La Paloma adieu », ma tante Monique : « J'ai deux amours », mon oncle Guy : « Là où y a des frites », mon oncle Tatave (Gustave) : « Le béret », ma grand-mère Fifine : « Si on pouvait arrêter les aiguilles », ma tante Dédette (Bernadette) : « Tel qu'il est, il me plaît » et mon frère Rémy et ma sœur Gigi en duo dans « Made in Normandie »...

Je ne passais qu'en vedette américaine !

J'allais oublier « le père Trollé », un copain de régiment de mon père qui était le boute-en-train de service et m'appelait – je n'ai jamais compris pourquoi – « l'Anglais ». Il se taillait un franc succès avec un texte sur les départements que je viens de retrouver grâce à Internet :

*J'étais assis au bar en train de boire un Calvados tandis que je regardais un clochard faire la Manche. Une dame vint s'asseoir à côté de moi, elle portait un manteau de Loire et j'en fus impressionné car je sais que le Loir-et-Cher ; nous engageâmes la conversation et ce qui me charma chez elle furent Savoie et ses yeux Doubs. Au bout de quelques minutes, elle me demanda de monter chez elle. Il fallut donc que je Vienne, et j'acceptai sans crier Gard ! Elle ne perdit pas le Nord, nous entrâmes dans sa chambre, et, à peine arrivée, elle se déshabilla. Ses seins étaient magnifiques, elle les Aveyron ; en fait, cette fille était vraiment Gironde et l'on s'amusa jusqu'à l'Aube. L'exercice, ça Creuse ; aussi, au petit matin, je lui proposai du jambon, du saucisson et du Cantal ; elle fut si contente de ce petit déjeuner qu'elle m'appela son Hérault et me demanda une Somme que je refusai de payer, trouvant que c'était trop Cher ; elle me fit alors une terrible Seine et je vis dans ses yeux une terrible Aisne. À cet instant, j'aurais eu bien besoin d'un Allier car elle me lança son sac au visage et me donna un coup de pied dans le Bas-Rhin. Tout finit par s'arranger, mais, avec des histoires pareilles, elle Jura que l'on ne l'y prendrait plus.*

Vous admettrez que j'étais sous mauvaise influence !

Impressionné par les talents de l'ami de la famille, Jean Trollé (hommage lui soit rendu puisqu'il vient de nous quitter), je me mis moi aussi à inventer des jeux de mots et à les tester très vite en cour de récréation. Je me revois, l'année de mon CM2, faire rire les filles en improvisant des blagues avec la voix de Darry Cowl ou celle de Jacques Chaban-Delmas. À 10 ans !

Jusque-là, j'étais un écolier introverti, maladivement timide et développant un sentiment d'infériorité peu contrarié par le fait qu'à Louis-Blanc, où j'avais été inscrit, on m'avait casé dans l'école des filles. Il n'y avait pas assez de place dans celle des garçons.

Du cours préparatoire au CM2, je n'ai donc fréquenté que des classes à quatre-vingt-quinze pour cent féminines, pendant que la majorité des garçons grandissaient de l'autre côté du mur de la cour de récréation. Cette période de mixité scolaire, plus que partielle, ne dura heureusement que quatre ans au lieu de cinq, puisque, bon élève, j'ai sauté une classe (pas sexuellement, je n'étais pas si précoce) du CE1 au CE2.

En effet, autre anomalie de mon parcours en primaire : l'institutrice, madame Châtaigne, enseignait en même temps à deux tranches d'âge dans une seule salle et jugea que je lisais et écrivais suffisamment bien pour me faire passer en cours d'année de la moitié gauche CE1 à la moitié droite CE2. Nous ne fûmes que deux récompensés cette année-là et je dois dire que mes parents n'en furent pas peu fiers.

Grâce soit rendue à madame Jacques, mon excellente maîtresse de CP, qui m'apprit si bien à lire et sans qui je ne serais pas aujourd'hui en train d'écrire ce livre.

Ces quatre années passées « chez les filles » ont-elles été un élément déterminant dans ma sexualité future ? Freud seul le sait et je dois avouer que je me suis souvent posé la question.

Comme je l'ai bien des fois répété en interview, je n'étais ni riche, ni costaud, ni beau ; il fallait bien trouver un moyen d'attirer les autres. Ma force allait être le rire et j'en avais bien besoin.

À la maison, mon père avait une drôle de façon de m'encourager à franchir les étapes : « Mais comment tu feras quand tu seras avec d'autres garçons au collège ? » Ou : « Tu vas en baver quand tu feras l'armée ! » Il avait sûrement senti chez moi une sensibilité différente et il me prévenait avec ses mots à lui.

Il est vrai que j'avais peur de tout : peur de passer sous le tunnel Jenner qui reliait la ville haute à la ville basse, peur de demander à mes parents de l'argent pour acheter la photo de classe, peur du passage trop sombre qui permettait de gagner dix minutes pour revenir de l'école, peur de passer à côté de quelqu'un que je ne connaissais pas, peur d'aller dans l'eau pour apprendre à nager, peur de la dame du catéchisme qui s'appelait madame Guerrier, peur de traverser le hall de l'immeuble pour aller jouer dehors, peur d'aller sur le terrain au milieu des HLM pour aller jouer au foot avec les autres garçons de mon âge. Et pourtant, je m'ennuyais ferme.

J'adorais, en revanche, regarder à la télévision avec mes frères les exploits des Verts de Saint-Étienne.

Je collectionnais les vignettes Panini des footballeurs de l'époque, mais, à 13 ans, je n'avais personne avec qui les échanger.

Heureusement, avec les autres enfants de l'escalier, ça se passait quand même pas mal. Je connaissais bien Rémy, Pascale, Véronique, Arnaud, Caroline, Pascal, Sylvie et Dominique et, quand ils étaient assis sur les bancs près du bac à sable, j'osais me joindre à eux et je devenais alors animateur de jeux. Madame Tanter, la voisine du rez-de-chaussée, se souvient encore que c'était moi qui organisais *Intervilles* ou *Jeux sans frontières* en bas de l'immeuble. J'inventais et orchestrais les épreuves : concours de rapidité avec seaux remplis de sable, chronométrage de la descente du toboggan ou glissade sur la pelouse en pente assis sur un carton, jeux de mime ou même nombre de papillons rapportés du champ d'à côté en trois minutes...

Chaque gamin représentait un pays, et moi j'étais Guy Lux ou Léon Zitrone, pendant que ma copine Carole faisait Simone Garnier. Si j'avais participé aux jeux, j'aurais sans doute été le moins rapide, le moins agile et le moins endurant.

Quand on composait les équipes pour jouer aux gendarmes et aux voleurs, j'étais toujours choisi en dernier par les chefs d'équipe, désignés, eux, par « creux-dos », « chou-fleur » ou : « Pic nic douille, c'est toi l'andouille, mais, comme le roi ne le veut pas, ce ne sera pas toi ! »

Mes qualités physiques ne valaient pas ma petite mécanique intellectuelle, mes copains le savaient, je le savais aussi, alors autant que je sois l'organisateur ou l'animateur !

Au moment du quatre heures, en bas de chaque immeuble, on entendait les enfants crier : « Maman ! Maaaamaaaaan ! J'ai faim ! » Certains remontaient chez eux pour aller chercher le goûter préparé par la mère de famille, mais comme la mienne était au cinquième étage, pour m'éviter l'escalier, elle balançait par la fenêtre, enveloppé dans du papier alu, le morceau de baguette beurré et nappé de chocolat en poudre.

Ce n'est pas que l'ascenseur était en panne, c'est qu'il n'y avait pas d'ascenseur. J'en aurai entendu parler, de ces cinq étages ! Cinq enfants, cinq étages, deux escaliers de huit marches par étage, soit quatre-vingts marches contre lesquelles ma mère pestait quotidiennement.

« Vous vous rendez compte, entre les enfants et les courses... On n'a pas intérêt à oublier quelque chose ! »

Si elle oubliait quelque chose, elle nous envoyait acheter le paquet de pâtes qui manquait chez Louvel, à la Coop ou au Familistère. Mon père râlait parce qu'il n'y avait jamais un paquet d'avance à la maison. « Ramène des Rivoire et Carré, c'est les meilleures ! »

J'y allais volontiers avec le filet à provisions. Ces marches, c'était mon seul sport. Un entraînement que ma mère, elle non plus, ne doit finalement pas regretter aujourd'hui, elle qui, nonagénaire, nous surprend à traverser une rue en courant.

L'avantage du dernier étage, c'était aussi la vue. Sur le balcon, par temps clair, on pouvait voir « l'autre côté de l'eau ». Les belles-familles y avaient droit à chaque visite.

« Regardez, on a vue sur l'estuaire de la Seine.

– Si on voit Honfleur, c'est qu'il va faire beau ! »

Il fallait avoir de bons yeux.

Trente ans plus tard, habitué du luxueux hôtel La Ferme Saint-Siméon, du côté de Honfleur, je regardais enfin Le Havre, de l'autre côté de l'estuaire, et je repensais à notre balcon. Récemment, je suis allé à Villerville, chez mes amis Jacques et Sophie Séguéla. On voit aussi Le Havre, au loin. En tentant d'apercevoir mon immeuble, jamais je n'avais eu autant le sentiment d'être passé de l'autre côté de l'eau.

Il y avait trop d'écart d'âge avec mes frères et ma sœur. Je me sentais fils unique, loin de la fratrie qui ne pensait qu'à s'éloigner de mes parents pendant que moi, petit dernier, je restais collé à eux.

Pour tromper l'ennui et m'accommoder de ma différence, j'allais donc développer un véritable monde parallèle. Assis devant mon bureau d'enfant, je composais mes propres personnages de bande dessinée et je développais mon imagination en écrivant des histoires que je ne montrais à personne. Chaque semaine, j'en dessinais la suite comme si j'avais été engagé par *Tintin* ou *Spirou*.

Je devais avoir 12 ans et, le moment où j'étais le plus heureux, c'était quand j'allais chez le marchand de journaux de la place Mare-aux-Clercs. Deux ou trois ans plus tôt, quand je devais répondre à la fatidique question : « Qu'est-ce que tu veux faire plus tard ? », je répondais toujours : « Marchand de journaux. » C'était pour moi un métier en or ; je m'imaginais passer toute la journée au milieu de *Hit, Podium, Ombrax, Alpha Junior, La Faune, Blek le Rock, Strange, Michel Sardou Magazine*... si, si, ça existait ! J'aurais pu lire toute la journée sans avoir à les acheter. Bon, il aurait fallu que je les vende, aussi !

Ainsi, je courais chercher mes lectures favorites avec mes deux francs cinquante de « prêt » hebdomadaire dans la main.

« Si tu n'as pas une bonne note, tu n'auras pas ton prêt ! » « Allez, donne-lui son prêt quand même ! » « Si tu veux aller au cinéma, paye-le avec ton prêt ! » « Tu n'avais qu'à économiser sur ton prêt ! » « Si on te donne un prêt, ce n'est pas pour acheter ces conneries-là ! »

Je me suis longtemps demandé pourquoi mes parents appelaient « prêt » cette somme que je n'étais pas censé leur rendre un jour. Aujourd'hui, au moins, je sais que je la leur ai rendue.

Grâce à un petit billet glissé dans ma poche par mémère Fifine, qui venait de temps en temps passer une semaine chez nous, j'arrondissais aussi mes 12 ans. En plus, ma grand-mère adorait jouer aux cartes et, comme on « jouait aux sous », il arrivait que les parties de rami gagnées me permettent le dimanche après-midi d'aller au Marny, le cinéma de quartier, aujourd'hui remplacé par un Shopi.

Le Marny ne faisait pas dans l'art et l'essai. C'étaient, au choix, des films de karaté avec Bruce Lee ou des comédies érotiques italiennes comme : *La prof donne des leçons particulières*, *La Toubib du régiment* ou *Lâche-moi les jarretelles*, toujours avec Edwige Fenech, la *sexy queen* italienne. Ni la violence ni le sexe ne m'intéressaient, mais, curieux, j'allais quand même voir les photos accrochées dans le hall du cinéma. Par chance étaient programmés aussi à intervalles réguliers : *Les Bidasses en folie*, *Les Fous du stade*, *Les Charlots en Espagne* ou *Les Charlots mousquetaires*, comédies vers lesquelles je me précipitais. Je n'ose imaginer ce que devait écrire le critique cinéma de *Libé* au moment de la sortie de ces films. J'ai en tout cas souvenir que j'y allais seul. Oui, toujours seul !

Dans mon monde parallèle, porte de ma chambre fermée, je refaisais aussi des émissions de télévision dont j'étais le seul public. J'avais le sentiment que ce que je faisais n'était pas tout à fait normal, j'en avais même un peu honte, au point que j'avais peur qu'on me surprenne.

Mes parents croyaient naïvement que je révisais ou que je faisais mes devoirs, alors qu'en fait je m'amusais à faire des castings pour savoir qui de Suzanne Gabriello ou de Jacqueline Monsigny méritait d'animer une case supplémentaire ! Je refaisais les sketchs du *Sacha Show* animé par Sacha Distel et Jean-Pierre Cassel. Je reproduisais les mimiques ridicules d'Aldo Maccione, la classe !

Parfois, dans la journée, je m'aventurais jusque dans la chambre parentale, prétextant d'aller chercher un mouchoir dans la grande armoire, pour mimer face à la seule grande glace de la maison une des chansons des Parisiennes, le groupe de chanteuses de Claude Bolling. J'adorais leurs chansons, leur look, leurs chorégraphies et, avant tout, le fait qu'elles soient parisiennes...

Je n'avais pas fêté mes 10 ans et, ce qui m'intéressait à la télévision, c'était déjà Jean Yanne et Francis Blanche dans *Les Grands Enfants*, Jacqueline Maillan dans *Au théâtre ce soir* ou Jean Amadou dans *Sérieux s'abstenir*.

Le samedi soir, j'avais une dérogation pour veiller un peu plus tard et j'aimais regarder un monsieur, certes pas beaucoup plus grand que moi, mais qui m'intriguait et m'impressionnait beaucoup.

Philippe Bouvard animait une émission qui se déroulait chez Maxim's et recevait toutes sortes de personnalités que je ne connaissais pas très bien, vu mon jeune âge (Salvador Dalí, Jacques Chazot, Alice Sapritch, Mélina Mercouri, Louis Leprince-Ringuet...).

J'étais attiré par sa façon si différente d'interviewer ses invités. Dans toutes les autres émissions, on vantait les mérites de chaque artiste qu'on recevait et on entendait poser des questions dont on connaissait les réponses, alors que dans *Samedi soir* Bouvard n'hésitait pas, lui, à pratiquer l'ironie, à poser la question mordante et à mettre parfois ses invités mal à l'aise. Je m'en délectais !

Allez voir sur YouTube une archive de l'INA où il interviewe sœur Sourire, « une des rares chanteuses à avoir fait vœu de chasteté », et ça vous donnera une idée du ton. Chose insolite que j'avais oubliée, pendant qu'il interviewait quelqu'un, on entendait le pianiste de chez Maxim's qui continuait à jouer.

Philippe Bouvard était craint par ses invités. Il faisait peur, car n'importe quelle question pouvait tomber. Il maniait l'insolence à son meilleur niveau. Il était le seul et ce fut le premier.

Il faudra attendre Thierry Ardisson dans les années 1980-1990 et Marc-Olivier Fogiel dans les années 2000 pour retrouver une telle insolence dans l'interview de personnalités. Pour avoir moi-même pratiqué cette façon de recevoir les artistes, que ce soit sur France Inter ou sur France 2, à mes débuts dans *Rien à cirer* et même parfois aujourd'hui dans *On n'est pas couché*, je peux vous dire qu'il faut une part de courage et d'inconscience pour poser une question qui, on le sait, ne va pas faire plaisir à l'invité. On prend le risque qu'il ne revienne jamais, on décourage les autres à s'aventurer dans vos émissions et on n'a plus d'autre choix que de vivre en autarcie pour ne pas prendre le risque de croiser sa victime ou son attaché de presse avant qu'ils aient oublié.

Philippe Bouvard m'épatait déjà et j'aurai de multiples occasions de vous en reparler, mais, à 12 ans, ma seule vraie impatience était de retrouver chaque dimanche *Le Petit Rapporteur*, de Jacques Martin, avec Stéphane Collaro, Pierre Desproges et Daniel Prévost.

Ils avaient emprunté à Beaumarchais et au *Figaro* leur slogan: «Sans la liberté de blâmer, il n'est point d'éloge flatteur» et, chaque dimanche, ils tenaient parole.

L'émission n'a duré qu'un an et demi, mais je m'en souviens. Toutes les familles chantaient «À la pêche aux moules» et, quarante ans plus tard, on parle encore du village de Montcuq, désormais célèbre pour toujours.

Pour être honnête, tout ça ne faisait pas trop rire ma mère, qui préférait de loin les chanteurs aux humoristes. Moi, c'était tout le contraire, j'avais les 45 tours de Patrick Green et Olivier Lejeune, *Pot pour rire monsieur le président*, *La Drague*, de Guy Bedos et Sophie Daumier, et, pendant qu'elle préparait le repas dans la cuisine, mon père et moi adorions écouter, chaque soir à 19 h 45 sur TF1, les blagues sélectionnées pour *Eh bien raconte*, magnifiées par les talents des cabarets de l'époque: Jean Raymond, Jean-Marie Proslier, Ibrahim Seck, Jacques Veissid, Sim ou Robert Rocca...

Il faut se rappeler que nous étions alors au milieu des années 1970; il y avait en tout et pour tout trois chaînes de télévision en France et, en gros, quatre stations: RTL, Europe 1, France Inter et RMC.

J'étais alors au cinquième étage d'une HLM, dans une famille ouvrière du Havre, et, à aucun moment, je n'aurais pu m'imaginer, ni même secrètement rêver, que je pourrais un jour faire ce métier. Et pourtant, inconsciemment, j'étais en apprentissage! Et je ne m'étais pas encore approprié la radio... On venait justement pour ma communion de m'offrir mon premier radiocassette.

Entre-temps, l'ordinaire s'était amélioré au 12 de la rue Paul-Louis-Courier. Mes trois frères et ma sœur avaient trouvé un travail et s'étaient tous mariés, si bien que mes parents commençaient à envisager de quitter notre cinquième étage et cherchaient à louer une petite maison avec un jardin.

1977 fut l'année du déménagement et du redoublement de ma troisième. J'avais toujours un an d'avance, mes résultats scolaires restaient corrects, mais mademoiselle Kerangoarec, ma prof principale (français et allemand) au collège Pierre-Brossolette, était une vraie peau de vache. Elle jugea que je manquais de maturité pour entrer au lycée, bien que j'eusse réussi l'examen du BEPC.

N'imaginez pas que mes parents aient contesté cette décision inique. Les professeurs représentaient l'autorité, c'est donc qu'ils avaient raison. « C'était le bon temps », doivent se dire les enseignants qui me lisent en ce moment.

Des professeurs, j'en ai eu des bons et je me console en me disant que sans ce redoublement je n'aurais jamais eu comme prof de français monsieur Lainé, qui, en dehors des cours, nous faisait faire du théâtre. J'ai joué deux rôles : le ministre Necker, dans une reconstitution de la Révolution française, et monsieur Smith, dans une scène de *La Cantatrice chauve*.

Merci, monsieur Lainé ! C'est vous aussi qui nous aviez fait étudier les *Lettres persanes*, de Montesquieu, et qui nous aviez donné comme thème de rédaction : « Imaginez que Rica veuille écrire aujourd'hui à son correspondant pour faire la satire des mœurs françaises de notre époque. » Vous m'aviez mis un 11 sur 20 et surtout ce commentaire : « Votre rédaction est plus proche d'une œuvre de chansonnier que des *Lettres persanes*, mais c'est amusant, parfois. » J'ai conservé cette copie. J'ai également gardé celle rendue par madame Durillon, deux ans plus tard, en première, au lycée Porte-Océane. Les rédactions étaient devenues dissertations et le sujet était : « À partir du banquet final d'*Astérix*, développez toutes vos réflexions sur le thème de la fête. » Commentaire écrit de la prof de français : « Un devoir de français de première, ce n'est pas une émission d'Europe n° 1. » Je ne sais si ces deux profs étaient devins ou si c'est ce qu'ils ont écrit qui a tracé mon destin, mais Élizabeth Tessier ou Paco Rabanne n'ont jamais fait mieux.

## 2

# Rue Hannes-Montlairy

En 1977, je quitte le quartier de la Mare-aux-Clercs et passe d'une des plus petites rues du Havre à une rue du Havre-Bléville, beaucoup plus grande, mais portant le nom d'un inconnu. Personne ne sait exactement qui était ce Victor Hannes-Montlairy, négociant installé au Havre en 1816. En revanche, à la faveur de ce déménagement, je découvrais Pierre Doris !

C'est en fouinant dans l'un des cartons entreposés dans la cave de la nouvelle maison que je mis la main sur un livre qui allait se révéler une mine d'or pour moi : Pierre Doris, *Histoires méchantes*, un recueil de quatre cents blagues d'humour noir comme je n'en avais jamais entendu.

Le livre datait de 1961, deux ans avant ma naissance. Comment était-il arrivé là ? Qui avait bien pu l'acheter ? Peu importe, j'en pris possession au point d'apprendre par cœur toutes ces histoires où Pierre Doris maltraitait, pour de rire, sa famille, une famille fictive. « Chez moi, on mange à la carte ; c'est celui qui tire l'as de trèfle qui bouffe ! » « À table : t'aimes bien ta mère ? Oui ? Bah, reprends-en ! » « Retire ton doigt de l'œil de ton frère, sinon je ferme le cercueil ! » « Aux dernières étrennes, j'ai offert une chaise à ma belle-mère, à la prochaine, je la ferai électrifier. » « Mon frère était très en avance pour son âge : il est mort-né. » « Ma femme est tellement paresseuse qu'elle ne fait même pas son âge. » « Paris sera bientôt la seule ville au monde où, au réveil, on pourra entendre les petits oiseaux tousser. » « Ma femme m'a quitté car je lui ai dit que ses bas faisaient des plis. Justement, ce jour-là, elle ne portait pas de bas ! »

Et je vous en passe !

Je m'apercevrai plus tard que Doris fut pillé par Coluche, Bedos et bien d'autres. Dans un livre posthume de Pierre Desproges, *Fonds de tiroir*, on peut même trouver un texte où PD rend hommage à PD.

Desproges y explique qu'il allait régulièrement dans les cabarets applaudir ce maître de l'humour noir qui racontait les pires horreurs sur sa femme, sous les désapprobations du public, pendant que madame Doris tricotait tranquillement au fond de la salle. Doris fut l'un des premiers en France à cultiver l'art du bide et à prendre plaisir à se mettre à dos toute une salle.

Dans les années 1990, alors que j'avais commencé à me produire dans quelques cabarets parisiens, j'eus la chance de le rencontrer enfin, et même de faire sa première partie dans un gala privé qu'un organisateur de spectacles eut la bonne idée de monter au Havre.

Je vis alors un monsieur de plus de 70 ans continuer à choquer une partie du public et se réjouir de s'attirer les « hou ! » des spectateurs présents. Pierre Doris n'a jamais cessé d'écrire et d'inventer : « Coluche est mort, c'était les Restos du cœur. Balavoine est mort, c'était les pompes au Sahel. Dieu n'aime pas la concurrence. »

« C'est un type qui va voir le médecin et qui lui dit :

"Docteur, j'ai le sida. Est-ce que vous connaissez un traitement ?

– Mangez des crêpes et des pizzas !

– Des crêpes et des pizzas, mais ça va me guérir ?

– Non, mais on pourra vous les glisser sous la porte !" »

Vous comprenez mieux pourquoi, en dehors de quelques pièces de boulevard, du rôle de Bérurier dans l'une des premières adaptations cinématographiques de *San-Antonio* ou de quelques interventions aux *Jeux de 20 heures* et autres *Académie des neuf*, on vit peu Pierre Doris raconter ses histoires à la télévision. J'eus l'immense plaisir de l'inviter plusieurs fois sur France Inter et même sur France 2 dans *On a tout essayé*. Je n'ai jamais été déçu ! C'est un des grands bonheurs de ce métier que de pouvoir rendre ainsi hommage à ceux qui vous ont inspiré, tracé la voie et qui, sans qu'ils s'en rendent compte, ont été déterminants dans votre parcours. Je lui téléphonais encore de temps en temps pour prendre de ses nouvelles, avant qu'il ne nous quitte en 2009, et je dois dire que j'étais ému quand il me disait: «Je t'écoute à la radio, je suis fier de toi, mon garçon!» Pas suffisamment reconnu, nous sommes nombreux à lui devoir beaucoup.

Au lycée Porte-Océane du Havre, où j'entrais en seconde AB, Pierre Doris, sans le savoir, m'aida à m'intégrer auprès des élèves les plus délurés qui m'impressionnaient. La famille fictive de Pierre Doris était devenue la mienne et, à chaque interclasse, je racontais que ma grand-mère était morte, qu'on l'avait fait incinérer et qu'en cas de verglas mon père me lançait: «Passe l'urne de la vieille, on va cendrer!» Ou bien que «ma sœur avait une jambe de bois, mais qu'on n'avait rien dit à mon beau-frère, parce qu'on préférait lui faire la surprise»! Ma préférée, c'était de raconter que j'avais eu un petit frère qui était né juste avec une tête, pas de bras, pas de jambes... Oui, juste la tête! «On lui a quand même organisé son baptême, sa communion, on lui fête ses anniversaires et, à Noël dernier, quand on lui a tendu un joli paquet cadeau, il a péniblement défait le ruban avec sa bouche et nous a dit, déçu, en découvrant le contenu du paquet: "Encore un chapeau!"»

Effet garanti, rires assurés. J'étais devenu l'amuseur de la classe.

Il fallait bien que je me fasse accepter, les autres garçons du lycée me faisaient peur ; je me sentais inférieur, plus faible et j'étais nul en sport.

Les « vedettes » de la classe étaient des juniors du HAC, futurs professionnels du club de la ville, doyen du football français.

Mario Acard était gardien de but et Thierry Keller attaquant, buteur redouté. Je les admirais et c'est avec eux que j'allais, à 15 ans, pour la première fois, dans un bistrot pour boire un Coca, faire un flipper ou draguer les filles. La routine pour eux, une aventure exceptionnelle pour moi ! Les résultats du HAC football devinrent notre premier sujet de conversation et, en un rien de temps, j'étais supporter. Avant de devenir le grand joueur qu'il méritait d'être, Thierry Keller est décédé dans un tragique accident de voiture, qui me marqua considérablement tant le destin fut stupide et injuste avec lui. À l'arrêt derrière un camion, la benne de celui-ci s'écrasa sur son véhicule. C'est ce qu'on m'a raconté à l'époque et je n'ai jamais oublié cette histoire cruelle qui me fit adopter, plus tôt que prévu, le fameux précepte : « Vis comme si c'était le dernier jour du reste de ta vie. »

Pour aller au lycée, de la ville haute à la ville basse, mes parents m'avaient offert un cyclomoteur 103 Peugeot. Le même qu'avait mon père pour aller bosser aux chantiers de Normandie. Malgré mes premières échappées dans le centre-ville et mon intérêt grandissant pour le football, mes résultats scolaires restaient bons.

Hélas, quand monsieur Dussol, mon professeur principal, interrogea mes parents pour décider de mon orientation et leur demanda ce qu'ils voulaient que je fasse plus tard, ils ne surent rien répondre d'autre que: « Trouver un travail avec son bac. »

Pour eux, finir le lycée, c'était déjà faire de longues études et, tandis que je commençais à rêver de fac littéraire ou d'école de journalisme, on décida pour moi d'une première et terminale G « techniques quantitatives de gestion », qui devaient me permettre de devenir « aide-comptable ». Mon père vérifia dans les petites annonces de *Paris Normandie*, rubrique offres d'emplois, et, comme effectivement, dans ces années-là, on en cherchait pas mal, monsieur Dussol ne fut pas contredit. Des cinq enfants, si tout se passait bien, je serais le premier à aller jusqu'au bac et à l'obtenir, je n'allais pas me plaindre ! Au moins, je travaillerais dans un bureau.

Bizarrement, la guerre avec mon père – en dehors du fait qu'il soit supporter des Diables rouges du football club de Rouen et moi des Ciel et Marine du HAC – fut essentiellement radiophonique.

Le matin, il préférait écouter les infos d'Europe 1 et moi, Maurice Favières sur RTL. Chaque jour d'école, entre 6 heures et 7 heures, ma mère dormait pendant que père et fils se confrontaient au petit déjeuner.

Pendant que papa partait avec son transistor dans la salle de bains, j'installais mon poste dans la cuisine et je me branchais sur le journal des sports de RTL, présenté par Guy Kédia, Bernard Roseau, Jean-Jacques Bourdin ou Roger Zabel, le plus marrant des quatre. Quand mon père revenait prendre son café dans la cuisine, je ne voulais pas changer de station et lui continuait à écouter la sienne. Une bataille psychologique et une cacophonie radiophonique s'installaient en lieu et place de tout dialogue.

J'aimais écouter Maurice Favières, qui, le soir, animait *Les Jeux de 20 heures* aux côtés de maître Capelovici et le matin réveillait la majorité des Français à coups de jeux de mots dont j'étais friand.

Je me suis toujours levé très tôt, parfois à 5 heures, préférant réviser et faire mes devoirs au dernier moment au lieu de les assurer la veille, en fin d'après-midi, au retour de l'école. J'adorais travailler dans l'urgence. C'est vrai aujourd'hui pour la préparation de mes émissions radio et TV, et même pour ce livre; mon éditeur en sait quelque chose.

Me réveiller à l'aube me permettait aussi ce tête-à-tête, même muet, avec mon père. Je révisais mes cours en même temps que j'écoutais l'incroyable jeu de la fenêtre: chaque matin, Maurice Favières envoyait Claude Hemmer dans une ville de province. Ce dernier donnait l'adresse à laquelle il avait garé sa voiture RTL et décrivait un immeuble dans lequel il avait repéré une fenêtre allumée, en demandant à l'auditeur de se manifester. Il suffisait alors qu'il apparaisse pour descendre choisir entre différentes enveloppes et gagner une montre RTL ou quelques centaines de francs. Une fois encore, il y avait peu de chances pour que nous soyons les heureux vainqueurs puisque nous avions quitté notre immeuble de la rue Hannes-Montlairy.

Mes parents étaient donc devenus locataires de cette maison mitoyenne, sur les hauteurs de la ville, où j'allais vivre toute mon adolescence. Voilà qui m'isola un peu plus, puisque je m'éloignais des rares copains de mon premier quartier et que j'étais désormais le dernier enfant à vivre avec Roger et Raymonde.

Nous habitions désormais à six cents mètres du supermarché Auchan, où nous allions régulièrement pousser le caddie et, mais oui, déjeuner au restaurant, chez Flunch, les jours de fête.

Nous n'avions toujours pas de voiture, mais l'arrêt de bus devant la maison offrait l'avantage pour ma mère de pouvoir rejoindre facilement le centre-ville quand elle avait besoin d'utiliser sa carte Cofinoga aux Nouvelles Galeries. En revanche, c'en était fini des deux semaines de vacances en Bretagne ou à la montagne, puisque désormais nous avions un jardin. Il fallait choisir.

Je vois encore mon père installer une balançoire quelque peu précaire, pour ne pas dire dangereuse, qu'il avait fait fabriquée lui-même avec l'aide des soudeurs des chantiers navals. À chaque fois que nous l'utilisions, nous avions la nette sensation qu'elle pouvait s'écrouler sur nous.

Quand je repense à ces quatre années, entre mes 14 et 18 ans, le premier sentiment qui me revient, c'est l'ennui. Derrière la fenêtre de ma chambre, je guettais la moindre arrivée. J'attendais que ma sœur ou l'un de mes frères nous rendent une visite improvisée. On ne peut pas dire que mes parents faisaient quoi que ce soit pour les attirer. C'était moi qui, souvent, les invitais à rester dîner avec nous.

Je n'en pouvais plus d'entendre ma mère commencer à dire : « On vous garderait bien à manger avec nous, mais on n'a pas grand-chose pour ce soir... » Je demandais tout de même l'autorisation de prendre des sous dans le porte-monnaie et courais au bout de la rue acheter un nouveau paquet de pâtes, du jambon, six œufs et une bouteille de vin « la treille du Roy ». Du 12 degrés, tout de même. Des bouteilles étoilées qu'il fallait ramener à la consigne ; c'était le luxe de la maison.

« Chez nous, on ne boit pas du Gévéor », se réjouissait mon père. Comme quoi, l'essentiel n'est pas d'être riche, on peut juste se satisfaire d'avoir plus pauvre que soi.

Autre curiosité, chez les Ruquier, on ne buvait pas d'eau, ou très peu.

Tradition normande, j'ai été élevé au cidre. Midi et soir, je buvais à table, non pas du cidre bouché, non, mais du cidre doux « Duché de Longueville », un cidre industriel, au point que mon père aimait à préciser : « Celui-là, il a été fait avec de la pomme d'escalier ! »

Quand nous étions tous réunis, ça rigolait bien, à table. À chaque Chandeleur, mi-Carême ou Mardi gras, on avait le droit aux crêpes et nous faisions « Rourout »...

Faire « Rourout », c'est prendre une crêpe, la plier et mordre dedans, de façon à creuser trois trous qui feront qu'une fois la crêpe posée à hauteur du visage on a non seulement les yeux en face des trous, mais aussi la langue qui peut passer pour crier : « Rourout ! » C'est idiot, ça faisait râler ma mère, qui nous rappelait qu'on ne joue pas avec la nourriture, mais ça nous faisait bien rire. J'ai souvent évoqué cette tradition un peu ridicule sur Europe 1 et, depuis, je reçois sur Twitter, venant de toute la France et même de l'étranger, des photos d'auditeurs qui font « Rourout », comme un hommage rendu à mon enfance.

Je dois reconnaître que mon père et mes frères ont toujours eu le sens de la vanne et du mot qui fait mouche, un atavisme familial que j'aurai la chance de pouvoir exploiter juste un peu plus. Ma sœur, dont je suis le plus proche aujourd'hui, en fut, hélas, souvent la victime. L'avantage, aussi, de dire des conneries, c'est qu'on ne se parle pas. On prend tout par la dérision, on détourne les sujets, mais on n'aborde jamais le fond. La seule question principale qui pouvait ouvrir à débat chaque soir, c'était : « Est-ce qu'on mange dans la cuisine ou dans la salle à manger ? »

Quelque chose m'intriguait pourtant depuis quelques années. À chaque fois qu'on me demandait à l'école d'apporter le livret de famille pour l'étudier en cours d'instruction civique, par exemple, ma mère refusait de me le confier. Évidemment, un après-midi que j'étais seul à la maison, je m'empressai d'aller explorer le classeur des archives familiales et des papiers pour dénicher le petit carnet rose qu'il ne fallait pas voir. Je découvris ce jour-là ce que ma mère voulait cacher à tout prix. « Raymonde Ruquier, née Mauger, divorcée de monsieur XXXX en 1950. » Jamais je n'avais entendu parler de cette histoire. Je n'en revenais pas ! Ma mère avait eu un premier mari et s'était remariée avec mon père alors qu'elle était enceinte de ma sœur. Rien de plus banal, aujourd'hui, mais il faut se reporter en 1950. À la campagne. De quoi devenir un secret de famille. Rien de traumatisant pour moi, vingt-cinq ans plus tard, mais sûrement traumatisant pour elle, à l'époque. En plus, elle s'était remariée avec un homme de sept ans plus jeune qu'elle. Je n'ai jamais osé lui en parler.

Si je n'ai pas de micro, je ne sais pas poser les questions.

Ce que je sais, c'est que ma mère, quelques années avant ma découverte de ce secret, fredonnait souvent la chanson de Michel Delpech « Les divorcés », quand elle était seule dans sa cuisine.

Elle avait même acheté le 45 tours. Ignorant ses raisons, je m'étais moi-même entiché de la face B, qui s'appelait « Le petit rouquin ». Je devais avoir 12 ans et c'est cette chanson-là que j'interprétais quand venait mon tour, à chaque communion, baptême ou mariage familial. Je n'imaginais pas que lorsque je chantais ça devant toute la famille, ma mère, elle, pensait forcément à la face A. Et moi d'y aller :

*Le petit rouquin... le petit rouquin,*
*Son père était rouquin ! Sa mère était rouquine.*
*Il aurait fallu un miracle pour qu'il soit brun.*
*Son nom, c'était Lucien,*
*Mais toutes ses petites copines,*
*Ses copains, le maître d'école et le sacristain,*
*Tous les commerçants de la ville,*
*Qui sont de joyeux boute-en-train,*
*Trouvaient que c'était plus facile de l'appeler « le p'tit rouquin ».*

Refrain : Le petit rouquin (× 4)

*Quand il passait sa main,*
*Dans ses cheveux en brosse,*
*Il rêvait des boucles d'ébène de son cousin,*
*Il avait du chagrin,*
*Sa peine était atroce.*
*Quand il regardait la crinière du beau Julien,*
*Tous les commerçants de la ville,*
*Qui sont de joyeux boute-en-train,*
*Avaient la parole facile pour se moquer du p'tit rouquin.*

Refrain

*Je serai comédien,*
*J'aurai toutes les filles,*
*Disait-il à ceux qui riaient, qui s'amusaient bien.*
*Tous les mauvais copains*
*Seront de ma famille.*
*On dira : le petit rouquin, je le connais bien !*

*Tous les commerçants de la ville,*
*Qui sont malgré tout des gens bien,*
*Auront le compliment facile, pour applaudir le petit rouquin.*

*Le petit rouquin, le petit rouquin...*

J'ignorais pourquoi j'avais choisi cette chanson, mais pas besoin d'être Gérard Miller pour comprendre aujourd'hui que, dans le texte et dans mon inconscient, j'avais sûrement remplacé « le petit rouquin » par « le p'tit Ruquier ».

La majeure partie de mon temps, quand je n'étais pas au lycée, je trompais l'ennui en restant dans ma chambre à écouter la radio.

RTL, d'abord, à commencer par *Les Grosses Têtes*, que j'enregistrais quand mes cours se terminaient trop tard. À l'époque, pas de podcast ni d'Internet. Enregistrer une émission de radio était toute une organisation. Il fallait acheter des cassettes vierges cent vingt minutes, que ma mère n'oublie pas d'appuyer sur le bouton « rec » à 16 h 30 et qu'elle retourne la cassette au bout de soixante minutes. Je rentrais vite de l'école en espérant que la bande ne se soit pas emberlificotée à l'intérieur de l'appareil. Il faut dire que mes cassettes n'étaient pas toujours de très bonne qualité. J'en faisais une consommation énorme et, par souci d'économie, je les achetais Au Petit Vélo Rouge, une solderie où on avait toujours un peu honte d'aller. Les marches en bois des trois étages craquaient sous nos pas et il fallait trouver son bonheur dans des cartons remplis en fonction des arrivages. En dehors d'une salle consacrée à toutes sortes de tissus vendus au mètre, on pouvait trouver de tout Au Petit Vélo Rouge, au hasard des incendies, saisies, décisions judiciaires et fermetures d'autres magasins. Une odeur de vieilleries, voire de moisi, y régnait, mais on y trouvait aussi des cassettes vierges.

J'ai archivé ces enregistrements où rivalisaient d'humour Jacques Martin, Jean Lefebvre, Paul Guth, Jean Yanne, Sophie Desmarets, Jean Dutourd ou Roger Pierre... J'étais fan de l'émission au point de vouloir absolument la faire découvrir à ceux qui ne la connaissaient pas et je glissais souvent une de mes cassettes dans l'autoradio de la voiture de mon frère Rémy, qui parfois m'emmenait voir l'équipe du HAC en déplacement. Les voix de Philippe Bouvard et de Nicole, la speakerine qui désannonçait les disques et rappelait les noms des Grosses Têtes, nous accompagnaient alors pendant la nuit, sur le chemin du retour.

Parmi mes favoris figuraient aussi Fabrice et Sophie, qui animaient entre 15 heures et 16 h 30 un jeu de lettres avec les auditeurs. C'était le tandem le plus drôle de la radio. Fabrice avait perdu son titre d'empereur des matinales et surnommait Sophie Garel « Mémène ». Ils faisaient tous les deux mon bonheur tant ils s'accordaient dans la repartie, s'amusaient comme des fous et multipliaient les jeux de mots. C'était une deuxième école.

Pour ce qui est de l'éducation sexuelle, je profitais de l'émission de Menie Grégoire, qui m'en apprenaient plus que ce qu'on avait pu me dire en sciences naturelles et en tout cas plus que ce qu'avaient pu me dire mes parents, qui n'ont jamais abordé le sujet.

Sophie Garel, avec qui j'ai eu le bonheur de travailler depuis, m'a raconté une histoire vécue qui me fait toujours rire. Elle fut un temps speakerine auprès de Menie Grégoire. Un jour, une auditrice appela pour expliquer qu'elle était déçue parce qu'elle venait de découvrir que son futur mari ne disposait que de ce qu'on va appeler gracieusement un micropénis (rien à voir avec la radio). Menie Grégoire passa cinq minutes sur l'antenne à rassurer son interlocutrice : « Ce n'est pas la taille qui compte. » « Vous verrez, l'essentiel, c'est qu'il sache bien s'en servir. » « Avec l'usage, vous en serez très contente. » « Si vous êtes amoureuse, là est l'essentiel... » Et autres banalités du même tonneau.

À peine le micro fermé, Menie se tourna vers Sophie et lui dit : « Avec une grosse, c'est quand même meilleur ! » Je ne sais si l'anecdote est réelle, parce qu'avec le temps, on a tendance à enjoliver la réalité. Pareil pour le canular préparé par Jacques Martin et Jean Yanne, qui firent aussi les belles heures de ce qu'on appelait encore Radio Luxembourg. Martin et Yanne m'ont raconté que dans les années 1960, à l'époque où ils animaient *Quand j'entends le mot culture, je sors mon transistor*, ils avaient piégé celle qui fut la première à parler de leur intimité avec les auditeurs. Je vais essayer de reproduire ici le dialogue que, paraît-il, on a pu entendre sur les ondes.

« Allô, Menie ?

– Oui, monsieur, je vous écoute.

– Il m'arrive quelque chose d'affreux.

– Je vous écoute, monsieur.

– Hier, je suis rentré du boulot plus tôt que prévu et j'ai surpris ma femme qui était au lit.

– Elle se reposait peut-être un peu ; elle était fatiguée.

– Non, non ; elle était avec une autre femme.

– Elles étaient toutes les deux dans le lit ? Vous connaissez cette autre femme ?

– Oui, oui, c'est sa meilleure amie. C'est terrible, ce que j'ai vu, Menie, je les ai surprises en train de faire l'amour... Toutes les deux dans le lit, vous imaginez ! Ensemble !

– Je comprends votre surprise.

– Oh, oui, c'est terrible ! Vous comprenez la peine que ça m'a fait. Je ne m'attendais pas à ça.

– On est toujours surpris, dans ces cas-là ! Votre femme n'avait jamais évoqué avec vous ce fantasme ?

– Bah, non !

– Il faut en discuter avec elle ; vous devez lui pardonner.

– C'est facile à dire, mais, enfin, vous comprenez le choc que ça a été pour moi...

– Bien sûr, mais comment avez-vous réagi ?

– Bah, je les ai baisées toutes les deux ! »

Il faut imaginer la grosse voix de Jean Yanne et le désarroi de Menie Grégoire. Il paraît que c'est après cette blague que la direction décida que l'émission de confidences ne se ferait plus en direct.

Est-ce vrai ? Peu importe, ça fait partie des belles histoires de la radio.

Pour voyager, j'avais Max Meynier, qui m'emmenait chaque soir sur les routes du bout du monde ; je me glissais dans mon lit tout en ayant la tête au Népal, en Islande, au Chili ou ailleurs. Ne croyez pas que c'étaient les routiers qui me faisaient rêver, mais seulement les pays qu'ils traversaient. Cela ne vous paraît pas croyable, mais RTL était ma deuxième famille.

Il m'arrivait tout de même de tourner le bouton pour aller écouter Coluche sur Europe 1, *On n'est pas là pour se faire engueuler*, sa première émission avec Robert Willar, Gérard Lanvin et un certain Jeanjean. Un régal de dérision et un ton nouveau. Le programme n'a duré qu'une saison et demie, et j'ai moins aimé quand il est revenu sur Europe, aux côtés de Maryse

Gildas, pour raconter des histoires drôles que, pour ma part, malgré mon jeune âge, je connaissais déjà.

Sur France Inter, le samedi après-midi, j'allais chercher *Les Cahiers à spirale*, une émission animée par François Jouffa et Simon Monceau (oui, le même qui présentait *Ça va se savoir* il y a peu de temps). On y donnait la parole aux adolescents, et la chanson de William Sheller servait de générique.

Inter n'était pas ma station de prédilection, mais j'ai quand même souvenir d'y avoir eu un rendez-vous quotidien avec un feuilleton écrit par Jean Yanne, qui s'appelait *L'Apocalypse est pour demain*, et aussi avec *Les Parasites sur l'antenne*, qu'animait Thierry Le Luron aux côtés de Bernard Mabille, Pierre Desproges et Laurence Riesner.

Il fallait bien que j'écoute toutes les stations pour créer ma propre grille de programmes. Oui, parce que, en plus d'écouter, je m'étais inventé une RTL fictive. J'avais recruté des animateurs d'autres radios, confié des tranches horaires à des talents que j'avais repérés et inventé de nouvelles émissions. Ça allait jusqu'au nom des réalisateurs et au casting des invités ; y compris pour *Les Grosses Têtes*, que j'avais évidemment conservées sur ma grille.

Grâce à un bouquin qui s'appelait *Le Tout Antenne* et qui recensait tous les animateurs radio et TV toutes chaînes confondues, avec un portrait détaillé pour chacun, je découvrais même de nouvelles têtes à qui je confiais de nouvelles cases au fur et à mesure que j'allais les espionner sur les différentes ondes. Si je les trouvais convaincants, ils gardaient leur tranche horaire, mais je pouvais aussi estimer qu'ils seraient plus efficaces dans une autre émission. J'avais la grille de radio parfaite ! Les meilleurs à chaque poste ! Je peux vous jurer qu'à 16 ans j'avais confié à Roger Zabel un show de variétés bien avant que Silvio Berlusconi en ait l'idée ! Et quand n'existaient pas le présentateur ou la présentatrice idéaux, je les créais de toutes pièces : Max Plombières, Gaëlle Crutzen et José Alves n'ont existé que dans mon esprit, mais ils faisaient partie des meilleurs.

Ainsi, à n'importe quel moment de la journée, quel que soit le jour de la semaine, sur le chemin de l'école, en allant faire les courses ou même aux toilettes, dès que je m'ennuyais, je pouvais allumer dans ma tête ma RTL à moi. J'étais tous les animateurs à la fois, je fabriquais de toutes pièces des dialogues irréels avec les auditeurs.

J'ai parlé dans un micro interne avant d'en avoir un vrai à ma disposition.

Je possède encore les carnets et cahiers remplis de mes grilles où je dessinais même les visages de mes animateurs vedettes.

Je gardais tout ça secret et cachais mes écrits dans mon bureau d'écolier, sous ma pile de livres scolaires, un endroit où mes parents n'allaient jamais jeter un œil. J'aurais eu peur qu'on me prenne pour un fou. J'étais fou. C'était en tout cas une forme d'autisme. J'en avais honte et, même aujourd'hui, je ne suis pas très fier de vous raconter tout ça. Je ne voudrais pas inquiéter mes nouveaux directeurs, Christopher Baldelli et Jacques Expert, mais en entrant à RTL, fin août 2014, j'aurai enfin l'impression d'arriver chez moi.

Le déménagement fut aussi l'occasion d'avoir enfin le téléphone. Plutôt que d'attendre qu'on nous appelle pour *Le Jeu de la valise*, je ne tardai pas à tenter de joindre le standard de la station pour participer à d'autres jeux de ma radio favorite. Je crois me souvenir du numéro: (16.1) 720 22 11. Rien de plus normal que de l'avoir retenu, quand on se rappelle qu'il fallait se fatiguer les doigts à tourner le cadran pour tenter d'obtenir la ligne, chaque fois occupée.

Il n'y avait pas de touche «bis» et on pouvait répéter l'opération pendant trente minutes sans succès.

La première fois que j'obtins le standard, un peu dégonflé, j'inscrivis ma mère qui se retrouva à chanter au téléphone le refrain d'une chanson d'André Claveau: «J'ai pleuré sur tes pas en murmurant tout bas la prière d'amour pour bénir ton retour qui voit fuir ma détresse.»

Le jeu s'appelait *Si on chantait* et il suffisait d'avoir un mot commun avec le refrain à découvrir pour gagner quelque chose.

Pour ma part, malgré les réprobations de ma mère qui trouvait que ça coûtait trop cher en téléphone et

1

1. *Ainsi font, font, font,*
bien avant Jacques Martin.

2. Déjà une place au balcon.

2

Comme disaient mes parents : « On n'a jamais été aussi près de Noël. »

Ma première troisième. J'en ai fait deux !

Ma mère, qui s'accroche à mon père.

Je portais déjà des lunettes pour être sûr de ne pas tomber à l'eau.

Comme le Port-Salut, c'est écrit dessus.

Ruquier
Laurent
3ème 2
le 26-09-77

C.F. 1

Français

11/20

C'est plus proche d'une revue de chansonniers que des "Lettres persanes", mais c'est amusant parfois.

Ruquier

Sujet

Imaginez que Rica veuille écrire à son correspon-dant aujourd'hui et fasse la satire des mœurs franç[ai]-ses de notre époque.

Monsieur Lainé, mon prof de français, était un visionnaire.

Ruquier
Laurent
1ère G2
le 1.02.80

10,5/20.

Dissertation

– Je te l'ai déjà dit, tu te montres trop familier dans le style de tes devoirs. Un devoir de français de 1ère ce n'est pas une émission de radio d'Europe n° 1. Cela dit tu n'as traité qu'un seul aspect du sujet et tu n'as pas abordé l'évolution de la fête, et ce qu'elle représente aujourd'hui. Il faut être plus rigoureux dans le fond et sur la forme

Sujet : « La fête traditionnelle est vécue par la communauté comme un moment intense en rupture complète avec la vie ordinaire... » « Elle est l'occasion d'une réelle communion effaçant les antagonismes entre les hommes, les villages, les provinces...

Elle reste aujourd'hui un besoin social, le besoin de communiquer avec l'autre... »

Chantal Thévenin, École ouvert[e]

En vous appuyant sur les différents points du jugement de Chantal Thévenin, développez toutes vos réflexions sur le thème de la fête.

Madame Durillon, ma prof de français, me voyait déjà sur Europe 1...

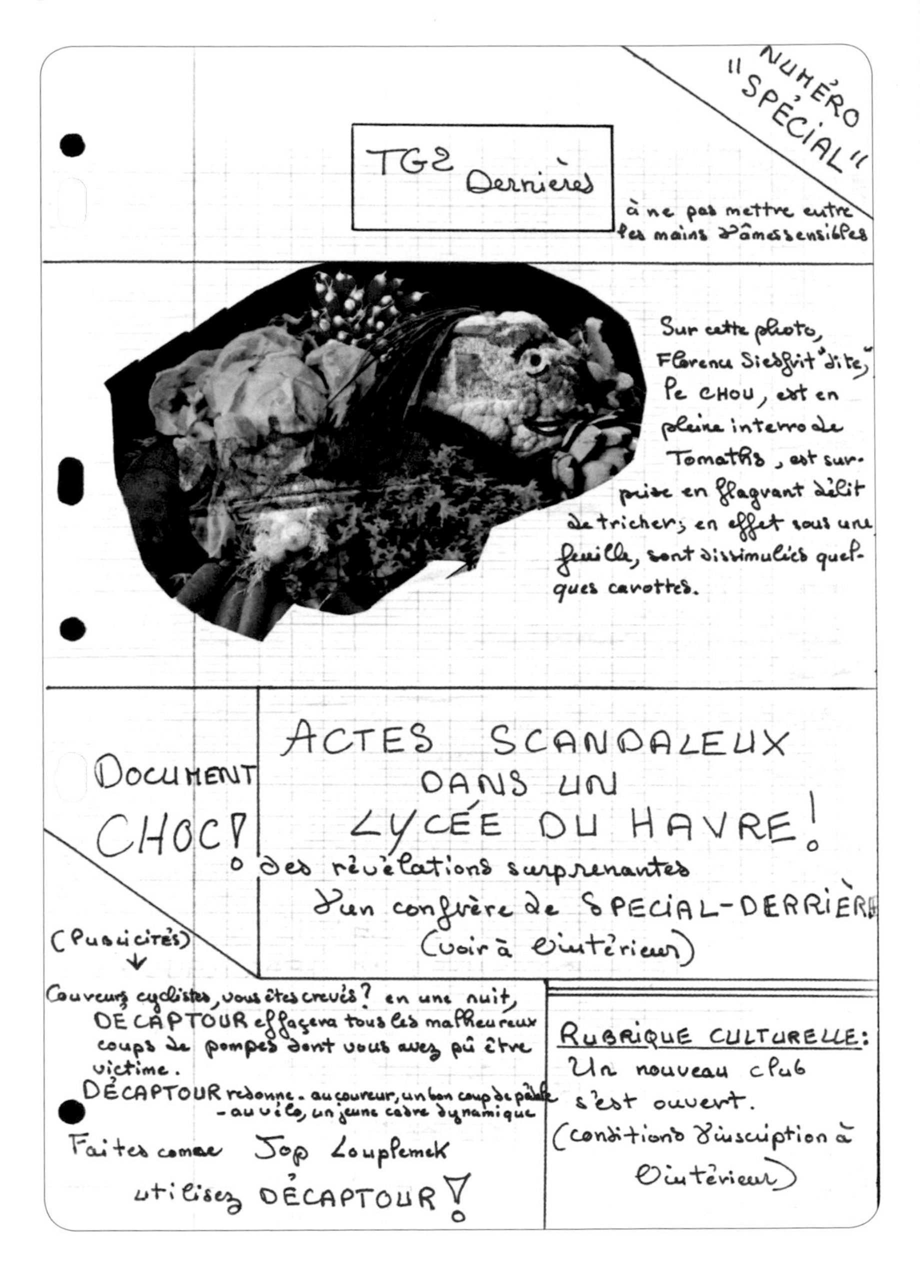

"NUMÉRO "SPÉCIAL""

TG2 Dernières

à ne pas mettre entre les mains d'âmes sensibles

Sur cette photo, Florence Siegfrit "dite" le CHOU, est en pleine interro de Tomaths, est surprise en flagrant délit de tricher; en effet sous une feuille, sont dissimulées quelques carottes.

DOCUMENT CHOC!

ACTES SCANDALEUX DANS UN LYCÉE DU HAVRE!

des révélations surprenantes d'un confrère de SPECIAL-DERRIÈRE (voir à l'intérieur)

(Publicités)

Coureurs cyclistes, vous êtes crevés? en une nuit, DÉCAPTOUR effaçera tous les malheureux coups de pompes dont vous avez pû être victime.

DÉCAPTOUR redonne - au coureur, un bon coup de pédale - au vélo, un jeune cadre dynamique

Faites comme Jop Louplemek utilisez DÉCAPTOUR!

RUBRIQUE CULTURELLE: Un nouveau club s'est ouvert. (conditions d'inscription à l'intérieur)

Un petit journal entièrement fait à la main en terminale.

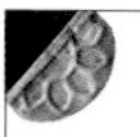

RTL

22, rue bayard - paris 8e

EDI.

Paris, le 12 septembre 1980

Messieurs.

Nons avons l'honneur de vous remettre ci-joint un chèque barré n° 0000229 en date du 10.09.80 sur la Banque de Paris et des Pays-Bas, de la somme de 132,00 F en règlement de :

- remboursement de votre note de frais du 21 août 1980

Veuillez agréer. Messieurs, l'expression de nos sentiments distingués.

Monsieur Laurent RUQUIER
44, rue Hannes Montlairy
76620 LE HAVRE

La Comptabilité.

éditradio société anonyme au capital de 2 587 300 F 75390 paris cedex 08 r.c. paris b 775 670 599 siret 775 670 599 000 15 ape 8601 - (1) 720.44.44

1

EDIRADIO
22, RUE BAYARD – PARIS 8e
75390 PARIS CEDEX 08
URSSAF N° 882.75.108.0005 T - 47, avenue Simon-Bolivar - Paris

RUQUIER LAURENT
44 RUE HANNES-MONTLAIRY

76620 LE HAVRE

| matricule | qualification | n° sécurité sociale |
|---|---|---|
| 028464 | STAGIAIRE | 1 63 02 76 351 219 |

| | nombre | gains | retenues |
|---|---|---|---|
| NOMBRE DE CACHETS | 1 | | |
| CACHET COLLAB.INTERMITENT DU 1408 | | 150,00 | |
| CONGES PAYES | | 12,50 | |
| SALAIRE BRUT 162,50 | | | |
| ASSURANCE MALADIE DEP 162,50 X 5,50% | | | 8,94 |
| RETENUE SS VIEILLESSE 162,50 X 4,70% | | | 7,64 |
| RETENUE ASSEDIC 162,50 X 0,84% | | | 1,37 |
| CAPRICAS 162,50 X 2,20% | | | 3,58 |
| NET IMPOSABLE 140,97 | | | |
| NET A PAYER 140,97 | | | |
| date 28/08/80 totaux... | | 162,50 | 21,53 |

N°0007891

| cumuls des bruts | cumuls nets fiscaux | net à payer |
|---|---|---|
| 162,50 | 140,97 | 140,97 |

2

1. Mon premier cachet pour un stage à RTL, à 17 ans.

2. C'est bien : au moins, j'ai la preuve qu'ils remboursent les frais !

22, rue bayard - paris 8e

Paris, le 17 Octobre 1983

MONSIEUR RUQUIER REMI
MONSIEUR RUQUIER LAURENT
44 RUE HANNES MONTLAIRY
76620 LE HAVRE

Chers Amis,

Dans le cadre de l'émission quotidienne "UN JOUR PAS COMME LES AUTRES" animée par Patrick Sabatier
j'ai l'honneur de vous annoncer que vous êtes les heureux gagnants de notre émission. pour le match de football "PSG/ JUVENTUS" au Parc des Princes.

Voici quelques précisions concernant votre journée pas comme les autres.

DEPART : MERCREDI 19 SEPTEMBRE

RETOUR : JEUDI 20 SEPTEMBRE
horaire à votre convenance

HOTEL : SAINT PETERSBOURG - 33 35 RUE CAUMARTIN - PARIS 9ème -
(bon de réservation ci-inclus) A ce sujet, je vous informe que le prix de la chambre + petits déjeuners nous sont facturés directement.
Seuls, les extras seront à règler sur place.
LE CHEQUE DE FRS..850 CORRESPOND A :
- vos remboursements de billets de train Le Havre Paris (aller et retour en 1ère classe x 2)
- vos frais de taxi.

Le contrat europ assistance a été souscrit pour la durée de votre séjour au cas où il y aurait le moindre incident sur place.
Le détail complet de votre séjour est ci-inclus.
Restant à votre entière disposition à RTL :
téléphone : 720 44 44 POSTE 430,
je vous prie d'accepter , Monsieur, Madame,
amitiés.

édiradio 75390 paris cedex 08

PROGRAMME UNE JOURNEE PAS COMME LES AUTRES

Mercredi 19 Septembre, à 12 H 30 précises, vous irez déjeuner au restaurant de la tour Eiffel.
RESTAURANT DU 1er étage "LABEL FRANCE".
Table réservée au nom de RTL - Vous serez en compagnie des autres auditeurs gagnants de notre émission, Monsieur et Madame Hamann.
(billets d'entrée Tour Eiffel ci-joints).

Ensuite, l'après midi vous pourrez vous promener dans les rues de Paris.

A 18 HEURES PRECISES, vous serez attendus à RTL.
A la réception de RTL, vous demanderez Monsieur Bernard Fertin qui vous emmenera au Parc des Princes où vous assisterez au match :
P.S.G. - JUVENTUS.

A l'issue du match, vous irez au coktail où vous pourrez rencontrer les joueurs des deux équipes.
Ensuite, Monsieur Fertin vous accompagnera jusqu'au FOUQUET'S où vous serez invités a diner
diner RTL avec des artistes, comédiens, etc....
Lors de ce diner , vous rencontrerez Madame Alinta Bibesco qui est la relation publique de notre service variétés.

Retour à l'hôtel.

---

Le Jeudi matin à 8 H 30, vous devrez vous rendre à l'héliport de Paris
4 Avenue de la Porte de Sèvres - Paris 15ème -
au hangar HELI FRANCE pour le survol de Paris La Défense Versailles en hélicoptère.
Après ce survol, retour à votre domicile.

Toute l'équipe se joint à moi pour vous souhaiter un agréable séjour parisien.
Sincères amitiés.
ARIANE SPEMENT
CLAUDE HEMMER
PATRICK SABATIER.

* Cinéma Gaumont. 38 Av des Champs Elysées -
Séance => 15h55

J'avais gagné un concours avec Patrick Sabatier pour aller voir PSG-Juventus (avec Michel Platini) au Parc des princes.

peut-être aussi parce qu'elle avait perdu la première fois, j'eus le plaisir de jouer avec Fabrice et Sophie et de gagner... Quoi ? Je ne m'en souviens pas, mais imaginez mon émotion !

Depuis quelques années, quand j'ai des candidats au téléphone sur Europe 1 pour participer au *Challenge des auditeurs*, je me rappelle toujours qu'il y a trente-cinq ans, c'était moi qui étais de l'autre côté de la ligne.

Le 18 août 1979, c'est avec Bernard Schu que je jouais au jeu du *Disque rayé* et gagnais tous les 45 tours des trente premières places de son hit-parade. Si j'ai retrouvé la date, c'est parce que, ce jour-là, le paquebot *France* quittait définitivement Le Havre, son port d'attache. Schu, qui, je le sus plus tard, vivait sur une péniche à Paris, me demanda si je l'avais vu partir. La réponse était oui.

Amarré pendant cinq ans quai de l'Oubli ou quai de la Honte – rebaptisé ainsi pour la circonstance –, le paquebot avait été la fierté de la ville pendant des années avant d'être revendu à un émir saoudien, puis à un armateur norvégien, malgré la chanson de Michel Sardou : « Ne m'appelez plus jamais *France* ».

Mon père, qui était fier d'avoir travaillé à bord pour des réparations, m'avait emmené quai Joannes-Couvert pour visiter ce monument maritime qui allait tristement devenir le *Norway*. Le départ définitif du *France* marquait aussi le début de la fin des chantiers navals.

De mon côté, je me réjouissais, après chaque jeu gagné avec Bernard Schu ou André Torrent (deux ou trois fois quand même), de recevoir mon colis de 45 tours étiquetés « Lido Musique » qui venaient enrichir ma collection, même si, il faut le reconnaître, il n'y avait pas que des chefs-d'œuvre musicaux dans les hits radio.

Alors qu'on lisait KISS ou ACDC écrits au feutre sur les sacs à dos des jeunes de mon âge, moi, j'étais davantage « nouvelle chanson française », attiré par les textes plus que par la musique. Je conserve les 33 tours que je m'étais offerts dès que j'avais un peu d'argent : Francis Cabrel, Detressan, Francis Lalanne, Alain Souchon, Yves Duteil étaient mes chanteurs préférés.

Mais, avant tout, Renaud !

Je connaissais par cœur « Hexagone », « Laisse béton », « Adieu minette », « Chanson pour Pierrot », « La boum » et « Je suis une bande de jeunes à moi tout seul », qui me correspondait particulièrement bien.

Aujourd'hui, ça reste l'un de mes plus grands plaisirs que d'avoir pu, en faisant ce métier, rencontrer celui que j'étais allé écouter en concert, à travers la paroi d'une petite salle de sports polyvalente qui se trouvait en face de chez nous. Ça devait être sa toute première tournée, peut-être même avant « Laisse béton ».

Je n'avais pas osé demander l'argent à mes parents pour me payer le billet d'entrée ; je n'aurais jamais osé resquiller non plus ; et c'est donc du parking de ce gymnase que je l'ai écouté, sans le voir, pour la première fois en vrai.

Depuis, j'ai eu la chance de côtoyer Renaud à plusieurs reprises grâce à notre ami commun, Gilbert Rozon. Je me souviens d'un 31 décembre passé chez lui, avec Claire Nadaud et quelques-uns de ses proches. C'est ce soir-là que j'ai appris le fameux « jeu du voyage », qui en énerve plus d'un aujourd'hui. C'est en Toscane, il n'y a pas dix ans, que nous nous sommes aussi amusés à jouer ensemble avec la boîte de jeu *Qui veut gagner des millions*. Renaud adore jouer. C'est d'ailleurs la raison pour laquelle j'avais eu l'idée de l'appeler pour faire tandem avec moi, face au vrai Jean-Pierre Foucault. C'était le 5 février 2011 et, jusqu'à aujourd'hui, cela reste sa dernière apparition TV.

Il nous manque. Il me manque.

Je suis trop timide et trop pudique pour lui dire ces choses-là, mais ici, par écrit, c'est beaucoup plus facile. « Quand un taiseux rencontre un autre taiseux, qu'est-ce qu'ils se racontent ? Pas grand-chose ! », auraient pu chanter Mireille et Jean Nohain.

En 1978 sortait chez mon nouveau marchand de journaux *L'Almanach de l'os à moelle*, fondé par Pierre Dac et relancé par Jacques Pessis. Comme j'avais décidé que tout ce qui pouvait faire rire ne devait pas avoir de secret pour moi, je m'empressai d'en devenir un adepte inconditionnel. Avant ça, je ne savais pas qui était Pierre Dac. Grâce à une cassette qu'on m'avait offerte, je connaissais seulement le célèbre sketch du *Sâr Rabindranath Duval*, qu'il jouait avec Francis Blanche. On se souvient des fameuses répliques de ce faux numéro de télépathie :

« Votre Sérénité, pouvez-vous me dire quel est le numéro du compte en banque de monsieur, qui se trouve au deuxième rang dans la salle ?

– Oui.

– Vous pouvez le dire ?

– Oui !

– Vous pouvez le dire ???

– Oui !!!

– Il peut le dire ! Bravo ! Il est vraiment sensationnel ! »

Après le livre de Pierre Doris, *L'Almanach de l'os à moelle* allait devenir ma deuxième bible. J'apprenais tout Pierre Dac par cœur, ses proverbes :

« Ce n'est pas parce que en hiver on dit : "Fermez la porte, il fait froid dehors", qu'il fait moins froid dehors quand la porte est fermée. »

« Ceux qui ne savent rien en savent toujours autant que ceux qui n'en savent pas plus qu'eux. »

Et ses petites annonces :

« Concierge souhaite une loge au sixième étage pour descendre le courrier au lieu de le monter. »

« Directeur pompes funèbres cherche personnel ayant le sens de l'humour, connaissant particulièrement la mise en boîte. »

Moi qui aimais les jeux de mots, j'étais servi !

Et j'apprenais en plus le non-sens. En fait, parallèlement à mon parcours scolaire, c'était comme si je suivais, en douce, une licence « humour et divertissement ». Je mis d'ailleurs très vite en pratique ce que j'apprenais de mes professeurs d'humour pour me moquer de ceux du lycée.

Dans ma classe de seconde AB 2.2, pour séduire mes nouveaux camarades d'école, je lançais donc le petit journal de *L'Abbé Dedeu*, dont j'étais le seul rédacteur en chef et l'unique journaliste. À parution aléatoire, chaque exemplaire unique, même pas polycopié, circulait de main en main pendant les cours. Nos profs y étaient caricaturés, les principaux élèves aussi ; surtout ceux qui étaient populaires, comme on dit maintenant. Je me servais des défauts des uns et des autres, j'écrivais de fausses pubs bourrées de jeux de mots, tout ça entièrement fait à la main avec colle UHU, agrafeuse, ciseaux ; dessins et photos découpées dans les magazines pour s'amuser de ressemblances fictives. Je dois avouer que j'avais un peu peur qu'un prof tombe dessus. Chaque nouveau numéro était attendu par ceux qui allaient devenir des copains. J'avais trouvé un moyen d'être « intéressant » sans être bon au foot.

J'étais tout de même devenu supporter du HAC et, quand le club jouait à domicile, j'allais seul sur ma 103 Peugeot jusqu'au stade Deschaseaux. Je ne loupais pas un match.

Qu'il pleuve, qu'il vente ou qu'il neige, j'étais derrière les buts, avec mon bonnet et mon écharpe ciel et marine. Je voulais pouvoir en parler à l'école le lundi matin. Mon père ne m'accompagnait qu'à l'occasion du derby contre le football club de Rouen. Sinon, il me disait à juste raison: «Je suis dans le froid toute la journée, je n'ai pas envie d'aller au stade.»

Il m'est même arrivé d'effectuer des déplacements à Rennes, Lens ou Nœux-les-Mines dans l'autocar des supporters. Je sais donc très bien ce qu'est un vrai supporter. Oui, ça peut être très con, mais je vous jure que ce n'est pas obligatoire. Il y a aussi des gens qui aiment le foot, leur ville, qui n'ont pas beaucoup d'autres distractions dans la vie et qui prennent du plaisir à encourager leurs joueurs préférés, et pas seulement pendant les matchs de gala, quand les visiteurs s'appellent PSG ou Monaco.

Mes meilleurs souvenirs au stade (avant d'avoir la chance de vivre en tribune quelques matchs de la Coupe du monde 1998), c'est au début des années 1980, au HAC, avec comme numéro 10 un certain Zarko Olarevic, un joueur yougoslave qui techniquement régalait tous les supporters. Il ratait rarement un coup franc et était même capable d'inscrire un but sur corner direct quand il était dans ses meilleurs jours. C'était quelques années avant Vikash Dhorasoo, que je n'ai pas eu la chance de voir jouer au Havre. J'étais déjà parti.

Comme étaient déjà partis aussi, d'ailleurs, les footballeurs français, quand, il y a quatre ans, en

2010, je suis arrivé en Afrique du Sud pour la phase finale de la Coupe du monde. Cette année, j'espère qu'ils auront fait un effort, pour ne pas être éliminés quand j'irai découvrir Rio de Janeiro et São Paulo! Ma passion pour le foot n'est pas feinte; je ne suis pas aussi pointu que mes camarades Florian Gazan ou Jean-Luc Lemoine, qui peuvent vous réciter les pages du journal *L'Équipe* chaque matin, mais j'aime vraiment ça et, quand il y a cinq ans Vikash Dhorasoo m'a demandé si je voulais investir avec lui dans le rachat du club du HAC, sans même réfléchir, je lui ai spontanément dit oui.

Je trouvais que cela avait du sens, le petit gars de Bléville et celui de Caucriauville qui voulaient aider à faire remonter leur club de cœur en ligue 1. Notre projet fut rejeté à quatre-vingt-dix-sept pour cent par les membres du conseil d'administration cadenassé par Louvel, le toujours patron du club.

Avec Vikash, il nous arrive de repenser à cette mésaventure, mais maintenant, c'est trop tard; je n'ai plus l'argent, je l'ai investi dans l'achat du Théâtre Antoine, à Paris! C'est tout aussi bien. J'y ai beaucoup de bonheurs et j'ai toujours aimé le théâtre.

Mes premiers souvenirs de pièces marquantes datent évidemment d'*Au théâtre ce soir*, proposé par Pierre Sabbagh. Ma seule possibilité d'aller au théâtre, c'était de regarder les pièces à la télévision. Voilà pourquoi je n'ai jamais compris que ces diffusions soient décriées par certains intellectuels. Ces pièces, jouées quasi systématiquement dans un décor de Roger Harth avec les costumes de Donald Cardwell, n'étaient pas toujours du meilleur niveau, mais il y avait aussi des classiques, et ceux qui aujourd'hui dressent des louanges posthumes à Jacqueline Maillan ou à Jean Le Poulain se pinçaient le nez en prononçant leur nom quand ils étaient les rois du boulevard. J'ai bondi quand j'ai vu *Télérama* sortir un numéro hors série entièrement consacré à Louis de Funès. J'ai cru noter que ce hors-série n'était pas gratuit ; je trouve ça dommage que ce soit commercial...

J'étais bien loin de ces guéguerres culturelles, quand, le vendredi soir dans mon lit, j'écrivais mes premières pièces. La suite de celle que je venais de voir à la télé ou une nouvelle avec la même distribution. Tout ça dans ma tête, bien sûr, sans papier, sans stylo et encore moins d'ordinateur.

La joue contre l'oreiller, je faisais jouer la délicieuse Sophie Desmarets, que je préférais, de peu, à Jacqueline Maillan. Je créais un nouveau rôle pour Amarande, Monique Tarbès ou Marthe Mercadier. Je m'endormais sur une réplique écrite pour Darry Cowl ou un monologue pour Michel Roux. Bien sûr qu'il y avait un autre théâtre, plus ambitieux, mais le boulevard était celui auquel j'avais accès grâce à la télévision, et mon père était heureux de pouvoir se distraire, le soir, en rentrant à la maison.

Qui aurait pu me prédire que j'achèterais, en 2011, avec Jean-Marc Dumontet, un des plus beaux théâtres privés parisiens ? Aujourd'hui, quand je réfléchis à un casting pour une pièce à monter « chez nous », je me revois au 44, rue Hannes-Montlairy, blotti dans mon lit du Havre, à imaginer des scènes entre Claudine Coster et Jean Poiret.

Parfois, le soir, dans les coulisses du Théâtre Antoine, pendant que Michèle Bernier et Frédéric Diefenthal triomphent dans une pièce que j'ai écrite pour eux, je me pince pour croire que tout cela est vrai. Alors, après une journée chargée, toujours trépidante, entre radio, TV, boxe et autres rendez-vous professionnels, je m'arrête simplement deux minutes pour regarder dans les coulisses du théâtre les photos de Maillan, Pacôme ou Louis Jouvet et je savoure. Et je remercie. Je ne sais pas qui, mais je remercie. Je ne montre rien – j'ai été élevé comme ça, ne jamais montrer –, mais je n'en suis pas moins heureux.

# 3

# 22, rue Bayard, Paris

J'ai 17 ans, quand, par un beau dimanche d'ennui de 1980, calfeutré dans ma chambre d'adoditeur, j'écoute *Poste restante*, l'émission animée par Jean-Bernard Hebey sur WRTL. Oui, j'ai bien écrit « Dubble You RTL », puisque à l'époque Hebey, adjoint à la direction des programmes, avait décidé d'américaniser les week-ends de la station. Il avait aussi décidé de recruter de nouveaux talents pour qu'ils deviennent – qui sait ? – de nouveaux animateurs.

Telle Jeanne d'Arc (qui n'avait pas encore libéré les radios), j'entendis son appel : « Si vous êtes jeune et que vous avez envie de causer dans le poste, envoyez-moi une maquette, faites-moi votre programme et, si c'est bon, on vous essaiera cet été sur Reuteuleu. »

Ni une ni deux, sans douter de rien et toujours sans en parler à quiconque, porté par je ne sais quelle foi, j'achetai le cordon nécessaire pour raccorder mon radiocassette au petit électrophone offert par mes parents au dernier Noël.

On était très loin du studio d'enregistrement et plus près du salon du bricolage, mais, entre deux disques soigneusement choisis, je racontais deux, trois conneries pleines de jeux de mots. En somme, ce que je faisais depuis des années, sauf que là, j'enregistrais !

Entre autres bêtises, je me souviens qu'après « Tagada, tagada, tagada, voilà les Dalton » je me demandais devant le micro comment Joe Dassin faisait pour savoir que c'étaient les Dalton vu qu'ils étaient quatre et qu'il devait en voir huit arriver... Et j'enchaînais avec Dalida en expliquant que c'était quand même louche que les deux chanteurs n'aient jamais fait de duo et que, comme eux, je mériterais une correction !

Pas fou, j'avais dû mettre deux ou trois titres qui bougeaient un peu plus pour ne pas lasser l'équipe de Jean-Bernard Hebey que j'imaginais rock'n'roll, mais, vu mes notes en anglais à l'oral, ma programmation avait dû se faire en fonction des titres pop les plus aisément prononçables pour moi.

J'ai ensuite fébrilement posté ma cassette du Petit Vélo Rouge et la bafouille qui l'accompagnait à destination du 22, rue Bayard.

Dire que j'y croyais serait mentir, dire que j'avais un maigre espoir serait plus juste.

Je n'avais en fait aucune idée de ce que je valais dans ce domaine, puisque au fond, jusque-là, j'avais toujours animé dans la clandestinité, sans public et sans spectateur, à part les blagues de Pierre Doris racontées aux interclasses et le succès de mon petit journal scolaire fait entièrement à la main. J'avais dû y voir tout de même quelques signes encourageants, sinon je n'aurais jamais envoyé ce courrier.

Quelques mois passèrent et l'été 1980 avait commencé sans que je reçoive aucune nouvelle de la capitale et sans que je m'en étonne plus que ça. Comme mes parents m'avaient chaudement recommandé de trouver un job pendant les vacances scolaires, ce qui me rapporterait un peu d'argent de poche pour le reste de l'année, j'avais commencé un travail de manutentionnaire à Auchan.

J'étais au rayon liquides et je rentrais dans le même état. Embauche à 5 heures du mat', packs de bouteilles d'eau et de jus de fruits à empiler sur les palettes et remplissage des gondoles de l'hypermarché avant que les premiers clients arrivent. À 11 heures, tout était déjà vide. Pour un job d'été, il aurait mieux valu être au rayon moufles et anoraks, mais je n'avais pas choisi. Pour moi, qui avais autant de force dans les bras qu'un Popeye privé d'épinards, c'était un supplice. Je rentrais avec des cloques plein les mains. Si mes parents avaient voulu me faire comprendre que j'avais intérêt à choper le bac pour devenir aide-comptable comme prévu, ils n'auraient pas mieux fait. Je n'étais pas bâti pour un travail de force. Compatissante, ma mère regardait et soignait chaque midi mes mains de fils d'ouvrier dont les doigts disaient : « Non. »

Alors que j'étais dans les quinze premiers jours d'essai de mon bagne chez Auchan, en rentrant déjeuner un midi, je découvris, dans la boîte aux lettres, une enveloppe siglée des trois lettres rouges qui, secrètement, occupaient mon existence.

Le courrier était signé madame Aline de Saint-Léger et m'annonçait que j'avais été sélectionné parmi tous ceux qui avaient envoyé leur émission pilote à Jean-Bernard Hebey.

Pour plus d'informations, il fallait que j'appelle le numéro indiqué. Et voilà que j'apprenais que j'allais faire partie de la dizaine de jeunes qui, pendant cet été 1980, allaient pouvoir animer leur propre émission, un *one shot* de trente minutes sur RTL.

Pour ça, j'avais besoin de l'autorisation des parents. J'étais mineur et il me fallait, au milieu du mois d'août, pouvoir aller trois jours en ministage à Paris avant de passer à l'antenne.

Ce ne fut pas le débat « Poustiquet » de *Paris Normandie*, mais pas loin. Mon père n'était pas trop chaud pour que je déserte Auchan avant l'heure, ma mère n'imaginait pas que je puisse avoir une chance à la radio, mais elle avait pitié pour mes mains. Et moi, je remportais le morceau en expliquant que la station de radio payait tous les frais et que j'allais toucher un cachet de 150 francs. J'ai retrouvé ce bulletin de salaire. Mon premier d'intermittent du spectacle.

Si quelqu'un m'avait filmé le 12 août 1980 débarquant gare Saint-Lazare, seul à Paris, pour la première fois, afin de passer un test au sein de la station que j'écoutais tous les jours, j'aurais dû avoir l'air chouette... Ce qui est sûr, c'est que je n'avais pas été sélectionné sur photo ! Toutefois, j'ai souvenir d'avoir été très bien accueilli et de m'être fait le plus discret possible. Plongé au milieu de mes vedettes radio préférées, j'observais et j'écoutais. Timide et pudique, je n'étais pas du genre à adresser la parole à qui que ce soit, ni même à demander une photo ou un autographe. Je ne l'ai d'ailleurs jamais fait et, même aujourd'hui, cela me gêne, puisque j'ai très vite compris que, dans quatre-vingt-dix pour cent des cas, ça emmerdait l'artiste à qui on le demandait, sauf évidemment si c'était dans une période où on commençait à lui en demander de moins en moins...

Pendant ces trois jours où, comme pour l'armée, j'allais être déclaré apte ou pas, je croisai Sam Bernett et Chantal Huet (c'était la grille d'été), Léon Zitrone et Évelyne Pagès, et mes chouchous... Fabrice et Sophie Garel ! Jamais je n'aurais osé les aborder et je les regardais de loin dans le couloir du standard téléphonique. Curieusement, alors qu'on ne pouvait pas dire que mon physique s'y prêtait, Sophie, resplendissante dans sa légère robe estivale, se dirigea vers moi pour me lancer, fidèle à elle-même : « Mais qui c'est, ce grand et beau jeune homme ? » Elle devait un peu se foutre de moi, mais, au moins, elle me parlait ! J'ai bredouillé que j'avais été sélectionné pour faire une émission entre 23 h 30 et minuit en direct sur l'antenne. Pas sûr qu'elle ait bien compris, mais elle me souhaita bonne chance sans qu'on puisse penser un seul instant, ni l'un ni l'autre, que je l'engagerais quatorze ans plus tard à France Inter pour assurer la rubrique littéraire dans *Rien à cirer*, puis sur France 2 dans *On a tout essayé*. Aujourd'hui, ça me paraît tellement dingue !

Enfin, je rencontrai celui qui m'avait fait venir ou, ne soyons pas dupe, celui dont l'équipe m'avait fait venir.

Jean-Bernard Hebey avait publié quelques mois auparavant *Le Guide du célibataire, ou comment le rester* et je peux raconter qu'après m'avoir donné deux ou trois conseils et confié qu'il m'avait surnommé « Le Fusier », parce que les jeux de mots fusaient sur ma maquette, il ouvrit très vite son carnet d'adresses et se demanda tout haut « laquelle il allait baiser ce soir » ! Devant moi, qui étais quasi puceau ! Si c'était un des avantages de ce métier, il avait trouvé là une raison supplémentaire de me motiver. Mais ce n'était pas ce qui m'obsédait. Ma fiancée, c'était la radio.

J'étais niais, mais, parmi mes quelques qualités, il y en a une qui m'a aidé toute ma carrière : j'apprends vite ! Et je profitai d'ailleurs de ce séjour pour vite comprendre que tout n'était pas aussi rose qu'on pouvait l'imaginer dans la grande famille RTL.

À l'époque, pas de blog de Jean-Marc Morandini, pas de presse people pour raconter les dernières phrases assassines entre animateurs, on pouvait croire, et je le croyais, que tout n'était qu'amour.

Il m'aura suffi d'entendre Fabrice, accoudé au bar interne de la station (il paraît qu'il n'existe plus) en train d'évoquer son concurrent Michel Drucker, pour savoir qu'entre deux vedettes radio qui convoitent la même case horaire (11 heures-13 heures) ce ne sont pas que des mots fleuris qui circulent. Au moins, avant même de commencer ce métier, j'étais fixé !

À 23 h 30, dans la nuit du 14 au 15 août 1980, je parlais donc, pour la première fois, en direct au micro d'une radio nationale. Cet été-là, RTL essayait à la suite « deux jeunes » par semaine. Le garçon qui me précéda dans la demi-heure, de 23 heures à 23 h 30, se faisait appeler « MnO4 moins Ion Permanganate ». Ça se retient ! Si ma mémoire est bonne, il était surtout venu pour diffuser de la musique « électro-métal ». Je n'avais pas pris de pseudo, ni de « spécialité ». J'avais juste pour ambition d'amuser entre les disques.

Je me rappelle très bien de ma programmation ; les premiers titres qu'on passe sur une radio nationale, on s'en souvient : Téléphone, « La bombe humaine », Renaud, « La teigne », Supertramp, « Logical Song », et... les jumelles Sophie et Magaly, qui chantaient « Le papa pingouin ». Cette année-là, c'étaient elles qui représentaient le Luxembourg au concours Eurovision de la chanson. C'était le temps où RTL se devait de ne pas oublier que son L signifiait Luxembourg et donc de soutenir ses candidats chanteurs en faisant tourner régulièrement leur disque sur l'antenne. « Le papa pingouin » ne m'avait pas été imposé, non, bien au contraire, mais, comme dans la maquette que j'avais envoyée je m'en moquais ouvertement, Jean-Bernard Hebey m'avait demandé de garder ce passage pour le direct. Ça le faisait marrer de narguer sa haute direction. À bien y réfléchir aujourd'hui, je me demande même si ce n'est pas la raison essentielle pour laquelle j'avais été retenu. Comme quoi j'avais bien touché ma cible, parce que, connaissant le côté rebelle de l'animateur de *Poste restante*, j'avais aussi fait ça pour retenir son attention.

Hebey me refusa un disque, « Drôle de vie », de Gilles Marshall, une chanson que j'aimais bien, mais lui trouvait que ce n'était pas utile d'encourager cet « anarcho-gauchiste » qui ne le méritait pas... Je n'allais pas en faire un *casus belli* !

Mes premières trente minutes en direct, seul devant un micro, avec aux manettes le réalisateur Bernard Meneguzzi, se passèrent correctement. Ce ne fut pas un triomphe, pas un ratage non plus.

J'étais conscient qu'à 17 ans, sans véritable expérience, la voix blanche et des jeux de mots quand même un peu pourris, ce serait *a priori* sans lendemain.

Le 15 août au matin, je quittai l'hôtel de la rue Jean-Goujon, où on m'avait logé, avec tout de même quelques regrets. À cause de ma timidité et de mon sentiment d'infériorité, je n'avais sympathisé avec personne, pris aucun numéro de téléphone. En trois jours, quatre-vingt-dix-huit pour cent des phrases que j'avais prononcées étaient celles que j'avais dites au micro. Je repartais comme j'étais arrivé, ma valise RTL entre les jambes.

Heureusement, je repartais quand même avec l'enregistrement de ce dépucelage radiophonique et il était évident que j'avais définitivement chopé le virus.

De retour au Havre, je n'eus pas de compliments de la part de mes parents. Je ne suis même pas certain qu'ils m'aient écouté. Je ne m'attendais pas non plus à un comité d'accueil avec des majorettes, je n'avais prévenu personne de cette aventure. À la rentrée scolaire, un ou deux copains me racontèrent qu'ils avaient été surpris de m'entendre en plein 15 août, dans leur camping, avant de s'endormir sous leur tente. C'était le net avantage de la radio sur la télévision, partout on pouvait vous capter. Aujourd'hui, avec Internet, les tablettes et les Smartphones, la télévision a rattrapé son handicap.

1980, c'était aussi la dernière année de Giscard président. Pour mes 18 ans, la présidentielle de mai 1981 serait l'occasion de mon premier vote. On ne peut pas dire que mes parents étaient politisés et c'était vrai pour toute la famille. Moi-même, je n'avais pas eu le temps ni l'envie de m'y intéresser, hormis à travers les émissions satiriques.

Le seul élément politique que j'ai longtemps vu sur une commode à la maison était un petit personnage qui tenait une pancarte avec l'inscription: «Pompidou, des sous!» Ça datait, déjà.

Le Havre était une ville de gauche, longtemps communiste, avec le maire, André Duroméa, continuellement réélu. Au lycée, mes copains et les profs – évidemment – étaient de gauche, eux aussi. Mon père avait voté Mitterrand en 1974. Ma mère écoutait mon père, et tous les deux recommencèrent en 1981. Je fis donc comme tout le monde. En tout cas, comme plus de la moitié des Français.

Valéry Giscard d'Estaing aura réussi deux choses: en 1974, à faire passer la majorité de 21 ans à 18 ans et, en 1981, de droite à gauche.

On pourra toujours discuter du bilan des années Mitterrand, mais deux réformes socialistes allaient concrètement changer ma vie: la réforme du statut d'objecteur de conscience et la législation des radios libres. Mais ne brûlons pas les étapes. Plus que l'élection de François Mitterrand, 1981 aura d'abord été pour moi l'année du bac et du permis de conduire, carotte promise par mes parents en cas de réussite au premier.

Je dois avouer que j'ai réussi plus facilement à recevoir le diplôme de fin de lycée que le petit papier rose. Bac en poche, il a fallu que je m'y prenne à trois reprises pour obtenir mon permis. J'eus surtout droit aux moqueries de mon père qui, ironie du sort, passa le permis un an après moi et, à l'âge de 50 ans, le réussit, lui, du premier coup.

Ce fut aussi l'année d'un changement de programme, pas radiophonique, celui-là. Alors qu'il avait toujours été question que je travaille et que je devienne aide-comptable après mon bac G2, mes parents, conseillés par mes frères et ma sœur, tous mariés, me proposèrent de continuer mes études. J'étais la dernière bouche à nourrir.

Je fus donc candidat à l'IUT du Havre pour tenter en deux ans un diplôme universitaire technologique « gestion et administration ». Pas de bol, il y avait plus de demandes que de places et ma candidature fut rejetée à cause des appréciations de quelques profs sur mes bulletins scolaires : « perturbe les cours régulièrement », « dommage que Laurent fasse sa crise d'adolescence l'année du bac », « trop dissipé »...

Ce n'était pas faux ! Je n'étais pas un fumiste ; juste insolent. Ma mère a souvent dit à mon propos : « Faut toujours qu'il réponde ! » À l'école aussi, je répondais ! Mais pas forcément aux attentes des professeurs.

À notes équivalentes, pour cause d'insolence, j'étais donc refusé à l'IUT. J'aurais pu me rabattre sur la fac, mais il n'y avait pas d'université au Havre. Il fallait aller à Rouen. J'évitais même de soumettre, l'idée, mes parents m'auraient dit d'arrêter les frais !

Je me vois encore me précipiter, déçu, jusqu'au quai de Southampton. Pas pour me jeter dans la Manche ni prendre un ferry afin de m'exiler en

Angleterre, juste parce que c'était là que se trouvait le centre d'information et d'orientation.

Une sauveteuse m'indiqua la solution : faire un DEUG « administration économique et sociale » dans une antenne havraise de l'université de Rouen, appelée « affaires internationales », et, après les deux premières années d'études universitaires générales, je pourrais entrer de force à l'IUT, par équivalence. Résultat des courses, trois ans d'études au lieu de deux, mais deux diplômes au lieu d'un : un DEUG et un DUT ! Je crois bien que je suis le premier Ruquier à avoir obtenu autant de diplômes !

Ce parcours sinueux fit de moi un étudiant pas comme les autres ; les cours des affaires internationales avaient lieu dans les locaux d'une ancienne école maternelle ! Après avoir été garçon à l'école des filles, voilà que je devenais étudiant poil aux dents (j'étais réellement barbu) dans des classes où j'avais peine à placer mes genoux sous les bureaux et où les rampes d'escalier nous arrivaient sous le nombril. J'étais décidément fait pour être décalé.

L'été, je travaillais pour payer mes études : coursier pour la chambre de commerce du Havre, pointeau aux Ateliers et Chantiers de Normandie, et aussi chez Thann et Mulhouse, une usine de traitement chimique où on souffrait par le soufre.

J'étais au cœur du monde ouvrier, mais avec un sale rôle.

Le pointeau est celui qui note les retards à l'embauche, les absences et les départs anticipés. Le pire, c'était aux ACH, où il y avait une machine à pointer et où la responsabilité du pointeau était de surveiller chaque matin l'embauche des salariés, au cas où un des gars pointerait pour un autre avant qu'il arrive. J'étais malheureux de mon travail, moi en blouse et eux en bleus.

« Mettre un quart d'heure en bas » – c'est comme ça qu'on disait pour enlever quinze minutes de salaire – à un ajusteur, fraiseur, chaudronnier ou soudeur, sous prétexte qu'il arrivait à 6 h 36 au lieu de 6 h 35, ce n'était pas humainement très agréable. J'avais l'impression de sanctionner mon père ou mon frère. Il faut admettre aussi qu'on s'aperçoit très vite que ce sont toujours les mêmes qui sont en retard et ont toujours une bonne excuse. Ce job ingrat que je fis plusieurs mois et plusieurs étés m'aura au moins appris à être toujours à l'heure, ce qui n'est pas négligeable quand on doit être en direct à la radio. Même en enregistrement, d'ailleurs. Ces dernières saisons, j'ai parfois eu besoin de rejouer ce mauvais rôle quand j'ai dû sanctionner les retards de mon ami Titoff, qui commence à apprendre la ponctualité. Pointeau un jour, pointeau toujours !

Pendant ces trois années d'étude, je continuais à beaucoup écouter la radio, mais, évidemment, secrètement, je continuais à rêver d'en faire. Ma courte expérience m'avait laissé un goût de « revenez-y ».

La loi du 29 juillet 1982 autorisant désormais officiellement les radios libres, j'avais fait acte de candidature, copie de mon expérience à RTL à l'appui, à Radio Porte Océane, Radio Force 7 et Radio Cap de la Hève. Penses-tu ! Pas un rendez-vous, pas une réponse. J'expérimentais la fameuse expression tirée des Évangiles selon saint Luc ou saint Matthieu : « Nul n'est prophète en son pays. »

En attendant la bande FM, j'avais enfin ma bande à moi, concrète, celle-là, puisque j'avais décidé qu'avec tous les élèves de la terminale G2 nous ne nous perdrions pas de vue. Sorties cinéma, voyages organisés, fêtes, jeux et soirées dansantes, je m'occupais de tout, sans augmentation du prix des consommations (comme dirait mon ami Pierre Bénichou) et en essayant de souder le groupe qui, pendant plusieurs années après le bac, continua à se fréquenter. Je me souviens d'un voyage à Paris organisé en 1982, avec location d'un autocar, visite du Père-Lachaise (comme si j'étais en repérage), enregistrement de l'émission *Casino Parade*, avec Michel Drucker et Michel Sardou, et, le soir, théâtre aux Bouffes-Parisiens où se jouait *En sourdine les sardines*, une pièce désopilante de Robert Dhéry, avec Jacques Legras, Gérard Loussine, Jean-Luc Moreau et Colette Brosset.

Nous étions une bonne vingtaine à chaque fois : sorties, anniversaires, fêtes, 31 décembre ; nous ne nous quittions plus. Curieusement, j'ai fait mes premières boums entre 18 et 20 ans. J'avais du retard pour tout. J'étais animateur d'une petite bande, mais animateur quand même.

Je les ai tous revus il y a onze ans à l'occasion de l'émission d'Isabelle Giordano *Mon fabuleux destin*, une nouvelle version d'*Avis de recherche*, produite par Marc-Olivier Fogiel et Nicolas Plisson. J'appréhendais un peu de retrouver ceux avec qui j'avais agréablement passé le cap de la majorité et les joies de l'émancipation. Le destin, justement, la géographie, parfois, les orientations professionnelles et même sexuelles, les vies familiales aussi nous avaient séparés. Je n'en avais pas revu certains depuis vingt ans ! J'appréhendais surtout d'avoir l'air heureux ou triste devant les caméras de télévision. Et pourtant, en 2002, j'étais déjà un habitant du petit écran.

Dans ce genre de programme où il faut dévoiler ses sentiments – Frédéric Lopez en est le chantre aujourd'hui –, j'ai toujours l'impression que, si on veut montrer qu'on est sincèrement heureux, on en fait trop et la crainte que le téléspectateur doute de cette sincérité me pousse à ne rien montrer. C'est maladif, je ne sais pas recevoir de cadeaux. Vous ne me verrez jamais dans *En terre inconnue* (ça tombe bien, on ne me l'a jamais proposé), ni même dans *La Parenthèse inattendue*, je ne saurais pas faire semblant d'être heureux devant des caméras, bloqué dans une maison de campagne avec Marc Jolivet ou Christian Clavier.

Finalement, le *Fabuleux destin* fut un plaisir et la charmante Isabelle Giordano sut me mettre à l'aise. Après l'enregistrement, je proposai à la bande des années 1980 de les inviter à un dîner improvisé au Café Beaubourg. Ce fut un chouette moment, plus naturel que je l'aurais imaginé. Rires et souvenirs étaient au menu. Comme souvent dans ces cas-là, on se promit qu'on ne laisserait pas passer autant de temps avant de recommencer et, comme toujours, on ne l'a pas fait. À cause des vies de chacun, mais surtout de mon emploi du temps.

Mon agenda est un casse-tête pour fixer des rendez-vous réguliers avec les vrais amis d'aujourd'hui ; ça laisse peu de place à ceux d'autrefois.

En ce début des années 1980, mon meilleur ami, c'était Franck. Photographe, il soûlait un peu les autres avec ses soirées diapos, mais moi, j'étais admiratif. En plus, il avait du succès auprès des filles, pas moi. J'étais doublement admiratif. Beaucoup de mes amis le trouvaient trop vaniteux ou ambitieux, pas moi. J'ai toujours été attiré par les fortes personnalités. J'ai une ambition plus masquée et j'ai donc toujours admiré ceux qui osaient afficher la leur. Franck a été mon premier vrai pote et, la preuve qu'il était plus débrouillard que moi, c'est qu'un beau jour de 1983 il nous apprit qu'il avait été accepté pour animer les midis de Radio Force 7.

Même à mon meilleur ami, je n'aurais jamais osé demander qu'il m'engage auprès de lui, et pourtant ce n'était qu'une radio associative et il s'agissait de bénévolat.

Je suis toujours comme ça. Je ne sais pas demander. Chez moi, ça ne se fait pas de réclamer. La bande de copains s'embarrassait moins que moi et, après avoir écouté Franck plusieurs fois, ils lui suggérèrent de m'essayer auprès de lui pour apporter un peu d'humour et de fantaisie à son émission. C'était parti ! Enfin, j'allais régulièrement parler à des auditeurs.

# 4

# Rue Massieu-de-Clerval, Le Havre

C'est en duo que je fis mes débuts sur les ondes locales. Avec Franck, nous animions le *12/13 de Jérôme et Laurent* (il devait y avoir un autre Franck sur Radio Force 7). Je préparais mes interventions ou, plus précisément, j'écrivais. Je proposais deux rubriques : l'histoire de France revue et corrigée de manière loufoque : Jeanne d'Arc, le Roi-Soleil, Landru... Et aussi « À la rencontre d'un métier » : boucher, croque-mort, hôtesse de l'air. J'ai retrouvé quelques textes de cet exercice. Je jouais l'invité et Franck (Jérôme) faisait l'interviewer.

Mes détracteurs se réjouiront d'y trouver les jeux de mots les plus désuets, mais j'avais 20 ans, c'était une radio locale et j'espère avoir fait quelques progrès depuis.

À la rencontre d'un métier; aujourd'hui: coiffeur.

«Monsieur Barbier, bonjour, puis-je vous demander votre prénom?

– Mon prénom, c'est TIGNASSE!

– C'est un prénom charmant; mais parlez-nous de votre métier.

– C'est un métier où il faut avoir du cran, qui nécessite une présence permanente. On frise parfois la crise de nerfs, vous savez! À longueur de journée, il faut savoir blaireau clients et, à la longue, c'est rasoir! Heureusement, pour se détendre, on peut écouter de la musique. Moi, je mets du Francis Lalanne! Au moins, lui, il ne nous fatigue pas. Il est au poil!

– Vous avez soif?

– Oui, un brun. Je prendrais bien un rafraîchissement, si vous avez une coupe... Ou un postiche 51; c'est une bonne année!

– La concurrence est rude?

– Non, vous savez, on est tous de mèche; on fait partie d'une minivague de jeunes coiffeurs qui n'avons pas froid aux yeux: jamais on ne se chauve devant un travail hâtif.

– Avez-vous peur d'une prochaine guerre?

– Pas vraiment, je suis prêt à partir sur le front pour défendre la frange libre, s'il le faut. Je n'oublie pas que mes parents ont eu les Schleus devant les yeux! Épi j'ajouterai que, même si c'est un moment enmerlan, je retomberai toujours sur vos pattes!

– Et votre épouse?

– C'est la femme idéale. Comme j'ai été gâté par la nature et que j'ai une queue de cheval, j'ai trouvé la partenaire adécouette. Je suis son blond samaritain, tandis qu'elle est ma rousse de secours.

– D'autres choses à nous dire ?

– Non, je crois que la boucle est bouclée ; je ne vais pas vous barber plus longtemps ; je ne voudrais pas qu'après vous vous peigniez parce que j'ai été trop long ! En tout cas, n'hésitez pas à passer au salon un jour où vous ne savez pas coiffeur ! »

Laurent Ruquier
Radio Force 7, 1983

Vous venez de lire l'un de mes premiers textes joués au micro ; il m'en reste quelques autres en stock que je veux bien mettre à disposition de Stéphane de Groodt, puisqu'il a réussi à imposer ce genre sur Canal Plus. Je le dis sans moquerie. J'ai toujours aimé les jeux de mots. Moins maintenant, surtout quand ils sont écrits et préparés. J'ai évolué. Je les préfère du tac au tac ou improvisés, ou alors il faut qu'ils soient au service d'une idée ou d'un vrai propos. Mais ce n'est qu'une question de goût.

Un pied dans cette station associative, je ne tardai pas à y mettre l'autre. J'aurais pu y dormir. Assez vite, Franck dut partir à Toulouse pour la suite de ses études, mais moi, je suis resté. On faisait tout dans ces radios locales et j'ai tout fait : la matinale infos, des jeux avec les auditeurs, des commentaires de foot, du pousse-disque (qu'on calait soi-même à l'oreille, à l'époque). Je dois dire que je faisais bien marrer un des responsables de la radio, Roberto d'Igleria, qui m'encourageait dans ce qui était ma passion depuis toujours. Merci à lui.

Les deux autres « directeurs », François Goujard et Denys Poupel, riaient, eux, quand ils se brûlaient. Au début, je ne comprenais pas pourquoi, dès qu'il me croisait, Goujard faisait des « tsss, tsss, chhchc-chh » avec sa bouche... J'eus l'explication quand une auditrice me déclara sur l'antenne : « Je vous écoute tous les jours et je vous adore, Laurent, avec votre cheveu sur la langue ! »

Il ne me manquait plus que ça ! J'avais un défaut de prononciation et personne ne me l'avait jamais dit. Pratique pour faire de la radio ! Je ne m'en étais même pas rendu compte. Ce n'était pas non plus mes parents qui m'auraient prévenu ; ils ne m'écoutaient pas. Sans devenir une obsession, ce cheveu poussait quand même à l'intérieur de mon crâne. J'essayais de me réconforter en me répétant qu'au moins les auditeurs me repéraient plus vite et que ce qui comptait n'était pas la qualité de ma voix, mais l'intérêt de ce que je disais.

Heureusement, aussi, j'avais de nouveaux amis : Jean-Yves, avec qui j'allais faire un bout de chemin, et Annie Lefleouter, celle qui allait devenir, pour toujours, ma meilleure amie. (Ne le répétez pas à

Christine Bravo ; elle croit que c'est elle !) Annie est aujourd'hui animatrice sur France Bleu Normandie, après être passée par Radio Nostalgie Paris, et il n'y a pas une semaine sans que nous nous téléphonions, pas un mois sans que nous ayons besoin de nous voir, pas un été sans que nous voyagions ensemble. Nos débuts communs à la radio ne furent que fous rires partagés et complicité spontanée. J'avais trouvé ma « Mémène ». Si, demain, les mystères de la vie devaient à nouveau nous réunir sur les ondes, nous retrouverions les mêmes automatismes.

Avec Jean-Yves, qui démarra à Radio Force 7 comme journaliste sportif, nous allions animer ensemble *Les Bonnes Têtes*, puis *Les Esprits Show*, sur Radio Porte Océane. Devinez de quelle émission nous nous inspirions ?

Autour d'une table et en public, je réunissais les figures locales les plus diverses pour leur poser des questions culturelles. J'avais déniché en feuilletant la presse locale un footballeur du HAC, 1re division, Philippe Prieur, doué pour reproduire toutes les imitations du *Bébête Show*, Yoland Simon, l'intellectuel omniscient, professeur et auteur de théâtre, Jacky Vauchel, un vendeur de télés de chez Darty, fantaisiste amateur à ses heures, Muguette, une voyante, Maïté Aubert, une galeriste un peu snob mais amusante, Richard L'Hôte, un journaliste sportif de FR3 Rouen détesté des Havrais, Zaza Blonders, un transformiste qui se produisait dans un ou deux cabarets de la région... Ils étaient tous impayables et ça tombait bien parce que tout le monde venait gratos !

C'est mon ami Jean-Yves qui faisait Bouvard, et moi je faisais prendre la mayonnaise entre les invités en les aidant à répondre à des questions culturelles que j'avais préparées. Surtout, je me moquais beaucoup d'eux. Ils revenaient quand même.

En juin 1984, mes trois années d'études étaient couronnées d'un DEUG et d'un DUT que j'avais obtenus sans trop de douleurs, à part pour le module d'anglais que j'ai dû repasser en septembre ; mais ça n'étonnera pas les auditeurs qui m'entendent, encore trente ans plus tard, hésiter sur la prononciation *live* ou *leave* pour annoncer le disque de Madonna « Leake a Virrjaillne ».

J'ai du mal avec l'anglais. J'étais dix fois plus doué en allemand. Les règles de grammaire sont plus contraignantes, mais une fois qu'on a appris par cœur *Aus, bei, mit, nach, zeit, von, zu* pour mettre le datif après ou *ze, er, be, er, ge, mib, en, ent, ver* (un moyen mnémotechnique : Cerbère gémit en enfer) pour les préfixes des verbes irréguliers, on n'a plus qu'à appliquer. L'anglais est plus facile, mais c'est trop flou pour moi. Bref, je n'étais pas fait pour une carrière de traducteur-interprète.

Heureusement, j'étais très bon en comptabilité, et le stage de fin d'année d'IUT que j'avais effectué chez NORMECO (on croirait un nom inventé par Guy Carlier), une société d'expertise comptable de

Mont-Saint-Aignan, près de Rouen, m'avait confirmé que ma voie était toute tracée. J'avais même fait une demande auprès du lycée agricole départemental et de l'École nationale d'industrie laitière de Saint-Lô pour me spécialiser et devenir comptable agricole. C'est dire ! J'aurais pu me retrouver à compter les moutons avec obligation de ne pas m'endormir.

Moi qui rêvais secrètement de Paris, j'avais quand même du mal à m'imaginer dans la Manche, en Basse-Normandie. Ça me paraissait le bout du monde. Pourtant, je devais avoir envie de partir loin du Havre puisque j'avais aussi fait une demande pour acquitter mes obligations d'activité du service national au titre de la coopération et de l'aide technique à l'étranger, ou dans les pays et départements d'outre-mer. Ma demande fut rejetée et, fin 1985, je savais que j'étais bon pour faire douze mois de service national classique.

J'étais auparavant allé faire mes « trois jours » à Vincennes et j'avais été déclaré apte. Enchanté que ce séjour militaire ne dure en fait qu'une journée et demie, j'avais pris une chambre d'hôtel, effrayé à l'idée de dormir dans une caserne. J'en avais profité pour aller voir Michel Galabru et Pascale Roberts dans *L'Entourloupe*, au Théâtre des Nouveautés. On était loin de la préparation au service national. Je n'avais même pas eu l'envie de jouer les imbéciles pour être réformé. J'avais trop peur qu'on me garde plus longtemps ! Le lendemain soir, je devais être rentré au Havre pour Radio Force 7, où des invités m'attendaient.

Oui, parce que comptable, c'était sans compter la radio.

Je m'y amusais de plus en plus et, comme les stations locales se professionnalisaient, je pouvais même, qui sait ?, commencer à espérer être payé un jour. C'était loin d'être encore le cas. Plus que du bénévolat, ça relevait du sacerdoce. Par chance, j'avais économisé les années précédentes. Entre mes salaires de pointeau et ma dernière année d'études payée dans le cadre de la formation continue, sans rouler sur l'or, je roulais en 2 CV rouge avec des sièges baquets blancs surélevés et une attache de caravane à l'arrière ! L'occasion tint un an. Elle fut remplacée par une Aronde P 60, vitesses au volant, tissu au plafond, qui, plus âgée que moi, lâcha, elle, au bout de deux saisons.

Mon père eut sa première voiture tout de suite après moi. Une voiture d'occase ; mieux, elle lui fut donnée pour une bouchée de pain par mon oncle Louis et ma tante Monique. Si je vous parle d'eux, ce n'est pas par hasard. Monique est la sœur de ma mère. Elle et son mari ont longtemps été les bons Samaritains de notre famille, plus aisés, d'un niveau social et culturel plus favorisé. Ma tante tenait un magasin Mode de Paris rue du Gros-Horloge, à Rouen, et mon oncle était directeur de l'usine de textiles Badin, à Barentin. Ils n'ont jamais eu d'enfants et ont donc beaucoup aidé mes parents quand il s'agissait de nous « habiller » ou de nous emmener en voiture. Monique a toujours aimé le spectacle et, douée pour le chant, elle s'est naturellement plus vite intéressée à mes activités que mes propres parents, qui n'ont même jamais cherché à capter Force 7 ou Porte Océane pour avoir idée de ce que pouvait bien raconter leur fils au micro. Ce n'était peut-être pas plus mal !

Radio Porte Océane appartenait à Antoine Rufenacht, le député RPR qui espérait un jour faire tomber la mairie communiste de notre ville. C'était l'époque où les radios associatives commençaient une résistance difficile face aux réseaux commerciaux NRJ, Europe 2, Nostalgie, qui voulaient s'en emparer.

Dans la petite maison Force 7, les débats allaient bon train. Le schéma est traditionnel. D'un côté, ceux qui représentaient l'association voulaient rester indépendants et surtout rester à l'antenne, craignant de se faire virer si un groupe de professionnels venaient mettre le nez dans leurs programmes. De l'autre, ceux qui voulaient progresser, passer professionnels, quitte à prendre un risque, ceux qui doutaient moins de leur avenir. Souvent, les meilleurs. Mine de rien, j'en faisais partie.

Après une assemblée générale mouvementée, Force 7 décida de ne pas plier face aux offres de rachat et nous fûmes quelques-uns à passer chez l'ennemi. Oui, dans une station classée à droite ! Je m'en fichais éperdument, tant que je pouvais continuer à déconner à l'antenne, dialoguer avec les auditeurs et, en plus, avoir près de moi mes amis Jean-Yves et Annie, qui, eux, commençaient à être payés pour leurs activités. Ce furent de belles années. Michel Gourdain, que vous entendez peut-être encore aujourd'hui sur France Inter et qui fut le 5 mai 1992 l'un des journalistes touchés par l'effondrement de la tribune de Furiani, était des nôtres et commentait déjà le football.

Les studios étaient luxueux, nous étions libres, le directeur d'antenne, Pascal Hennebert, était aussi rigolo que nous et nous en avons bien profité : jets de religieuses au chocolat sur les pare-brise, blague du seau d'eau placé au-dessus de la porte entrebâillée, clés de contact subtilisées en plein milieu d'une station-service... tout y passait !

Moi, je gagnais ma vie en étant pion. Je peux avouer ici que, pendant deux ans, j'ai abusé de ce statut. Je m'étais réinscrit à la fac, sans jamais aller à un moindre cours, mais l'inscription me permettait d'être surveillant au lycée François-Ier. Je ne culpabilisais pas. L'Éducation nationale n'avait pas été capable de me trouver un poste quand j'en avais eu besoin, pendant mes deux premières années d'études. On répondait à ma demande alors que mes études étaient finies ; autant en profiter !

Sans tergiverser, j'ai pris ce job qui me permettait de gagner ma vie en jouant au pion dans le lycée le plus chic de la ville et de m'amuser bénévolement dans une radio tout aussi chic. D'ailleurs, la preuve, j'avais les enfants Rufenacht à surveiller dans la cour de récréation.

C'est dans cet établissement que Jean-Paul Sartre, professeur au Havre dans les années 1930, avait un jour lancé à ses élèves : « Je vous hais. Vous êtes de sales bourgeois. »

Je n'étais pas Sartre. Ma philosophie s'en tenait à faire respecter la discipline, qui était très stricte. On ne pouvait pas faire autrement, les surveillants étaient tout aussi surveillés que les élèves. Monsieur Debletz, ancien militaire devenu conseiller principal d'éducation, nous demandait d'être aussi sévères que lui. Je savais le faire !

La situation était d'ailleurs paradoxale. Les élèves pouvaient m'entendre faire les pires blagues sur les ondes locales, alors que je devais les empêcher d'en faire pendant les permanences ou les heures de colle. Nous avions pour obligation de rendre ces moments le plus studieux possible. Pas question de laisser deux élèves se tenir par la main ou même s'embrasser dans la cour, pas de cigarettes non plus, évidemment, pas de groupes de plus de quatre personnes, pas de placement libre au réfectoire, chaque table devant être complète... Dans les autres lycées, oui, mais pas à François-Ier. On nous répétait tous les jours que l'avenir des enfants de tous les médecins, avocats et autres notables du Havre était entre nos mains.

Mon avenir allait changer, aussi, grâce à une collègue pionne qui s'appelait Béatrice Paradis, un nom prédestiné pour transformer ma vie.

Quand on est surveillant dans un lycée, entre deux sonneries qui retentissent et quelques balades dans les couloirs aux interclasses, il faut s'occuper, et l'étudiant virtuel que j'étais n'avait pas de cours à réviser. Béatrice était déjà maman et vivait sur une péniche, dans le port du Havre. Elle avait avancé bien plus que moi dans la vraie vie. Avec elle, nous avons passé un an à parler, parler, parler... Peut-être parce que je savais que je ne la reverrais pas après. C'est la première personne à qui je me suis confié. À commencer par mes doutes sur ma sexualité. J'avais pourtant 21 ans. Un homo, c'est à peine si je savais ce que c'était. La seule image que j'en avais, c'était celle du transformiste Zaza Blonders qui venait de temps en temps à la radio. Il était drôle et sympathique, mais ça ne m'encourageait pas vraiment. Béatrice Paradis, ainsi qu'une autre surveillante, Fabienne, ont su me rassurer et même banaliser ce que je voyais comme un handicap. Et encore, quand je voulais bien le voir !

L'année précédente, une soirée avait été organisée par Radio Force 7 dans le centre aéré du Val-Soleil. Chris, une chanteuse locale habituée de mes émissions, m'avait pris par la main pour chanter « Ziggy » en s'adressant à moi. C'est seulement bien des années plus tard, en 1994, quand Céline Dion est venue interpréter dans mon émission, sur France Inter, cette chanson créée par Fabienne Thibault dans *Starmania*, que j'ai fait attention aux paroles. J'ai compris alors que ce n'était pas par hasard que Chris m'avait pris par la main pour me chanter :

*« C'est un garçon pas comme les autres,*
*Mais moi je l'aime, c'est pas d'ma faute,*
*Même si je sais,*
*Qu'il ne m'aimera jamais. »*

J'étais quand même un peu couillon ! Je ne voulais pas voir ce que d'autres avaient perçu avant moi.

Béatrice Paradis fut aussi de bon conseil pour m'éviter de perdre un an pendant mon service national. Voyant que j'étais inquiet devant cette échéance qui approchait, elle m'avait balancé : « T'as qu'à faire objecteur ! »

Objecteur, pour moi, c'était un type qui ne voulait pas tenir une arme, refusait de faire l'armée et, au pire, se retrouvait en prison, au mieux, gardait des chèvres dans le Larzac. J'avais échappé aux moutons de Saint-Lô, ce n'était pas pour me retrouver à garder des biquettes dans le Massif central !

« Mais enfin, tu ne connais pas la loi Joxe ! » Non, je ne connaissais pas la loi Joxe. J'ai appris ainsi dans le même temps qu'on avait intérêt à se tenir informé. Plus on suit l'actualité politique, mieux on connaît ses droits.

En 1983, le gouvernement socialiste avait décidé d'assouplir les conditions d'obtention du statut d'objecteur de conscience. Il suffisait alors d'envoyer au ministère de la Défense une lettre type mentionnant que, « pour des motifs de conscience, on se déclarait opposé à l'usage personnel des armes et demandait à être admis au bénéfice des dispositions relatives à l'objection de conscience ».

L'obtention du statut d'objecteur était maintenant quasi automatique. Avant 1983, il fallait passer devant une commission, monter tout un dossier, avec motivations philosophiques et psychologiques. C'était devenu beaucoup plus simple.

En échange, il fallait quand même accomplir vingt-quatre mois de service civil (le double du service militaire) dans un organisme d'État, une collectivité locale ou une association agréée (MJC, compagnons d'Emmaüs, Ligue française pour l'enseignement...). C'est ce que j'allais faire. Étais-je devenu pour autant un vrai pacifiste ?

Je recevais tous les tracts. « Coût annuel d'un soldat : quatre-vingts fois celui de l'éducation d'un enfant. » « On nous dit que l'armée protège les populations, c'est faux ; 1914-1918 : plus d'un million de morts civils. Seconde Guerre mondiale : neuf millions de morts civils en Europe. » « Vous tous qui offrez des jouets aux enfants, vous qui êtes pour la paix et contre la violence, n'achetez pas de jouets guerriers. » « Non à la militarisation de la France. » « Armement, cancer du monde. » J'étais plutôt d'accord. Pas au point de devenir un militant et d'adhérer à l'Union pacifiste, mais suffisamment pour préférer faire un service civil. Peut-être plus pour convenance personnelle que par philosophie, mais j'ai toujours pensé qu'on avait besoin des utopistes.

Ce statut d'objecteur me vaut parfois de retrouver aujourd'hui mon nom sur certains sites Internet auprès de Boris Vian, pour sa chanson « Le déserteur », ou même de Gandhi ! Je n'en mérite pas tant.

Au moins, ce sera pour moi l'occasion de saluer ici la mémoire de Louis Lecoin, militant pacifiste et libertaire, grâce à qui le premier statut d'objecteur de conscience fut validé par le gouvernement Pompidou. Après être passé en conseil de guerre pour insoumission en 1917, Louis Lecoin fut condamné à cinq ans de prison militaire, milita pour le droit d'asile, soutint Sacco et Vanzetti – exécutés aux États-Unis –, fut à nouveau emprisonné en 1943 pour un tract intitulé « Paix immédiate » et réclama la légalisation du statut d'objecteur dès 1958, soutenu par Albert Camus. C'est après une grève de la faim entamée à l'âge de 74 ans qu'il vit enfin ce projet de loi promulgué en 1963. L'année de ma naissance.

Louis Lecoin fut proposé pour le prix Nobel de la paix en 1964, mais refusa d'être candidat afin de laisser plus de chances à Martin Luther King. J'appelle ça un saint homme et je suis fier d'avoir bénéficié de son combat, même si je n'aurais pas été capable de risquer le quart de ce qu'il a fait. Si on m'avait proposé de faire l'armée dans les transmissions radio, j'aurais bien été capable d'accepter !

Pendant ces belles années de pion-animateur au Havre, j'en ai aussi profité pour quitter le domicile parental. Ma mère l'a un peu mal pris ; la raison était pourtant simple : mes parents me réclamaient une pension et, quitte à payer un loyer, autant avoir mon premier « chez-moi » ! Dans les familles modestes, c'était comme ça. Si on commençait à gagner sa vie et qu'on vivait encore chez papa-maman, il fallait donner son écot. Je n'étais plus que seul à charge, mais, comme mes aînés avaient dû passer par là, je devais être logé à la même enseigne, par principe.

Ce qu'ils me réclamaient équivalait au prix du loyer d'un meublé au Havre. J'eus vite fait de déménager dans le centre-ville, rue Mogador, puis rue Massieu-de-Clerval. C'était le quartier idéal ; Saint-Vincent, à deux pas de la mer, du lycée François-Ier et de Radio Porte Océane.

Près de chez moi se trouvait aussi le magasin Performance Audio, que tenaient des amis de RPO, Emmanuelle et François. Très vite, ils m'ont demandé d'assurer des animations pour des soirées privées ou des opérations commerciales. J'ai donc été payé comme animateur de supermarché avant de faire carrière. C'est souvent l'inverse qui arrive. Je n'ai jamais osé mettre dans mon CV que j'avais assuré des animations avec Carlos chez But, Jacques Anquetil chez Conforama ou Thierry Roland chez Leroy Merlin, mais je l'ai fait. J'avais 22 ans, je n'étais pas encore monté à Paris. Cela n'a rien de honteux, mais je préfère l'avoir fait avant que d'avoir besoin de le faire après.

5

# Rue Henri-Martin, Rouen

En 1986, après vingt-trois ans passés au Havre, j'arrivai à Rouen avec le statut d'objecteur de conscience. Je remontais la Seine, petit à petit. On m'enterrera peut-être en Bourgogne, sur le plateau de Langres. Pour l'instant, je n'étais que dans la capitale de Haute-Normandie et j'allais devoir y passer vingt-quatre mois. Pendant quinze jours, j'ai vécu dans une chambre de bonne, rue Écuyère, près de la place du Vieux-Marché; la surface habitable ne devait pas être plus grande que le bûcher sur lequel on installa Jeanne la Pucelle, en 1431.

Et il y faisait presque aussi chaud. J'ai cru que j'allais y mourir.

Fort heureusement, aidé par l'indispensable tante Monique, je trouvai sur la rive gauche un studio bien plus moderne et confortable, au 44, rue Henri-Martin, pas trop loin de la cité administrative Saint-Sever, où je devais effectuer mon service civil.

Sur les conseils de Yoland Simon, une des figures du théâtre au Havre, un habitué de mes émissions, j'avais fait comme choix d'être intégré à la Drac, Direction régionale des affaires culturelles. Je n'y étais pas le seul objecteur. Je découvrais que nous étions pour l'État une main-d'œuvre utile et peu onéreuse. Pendant vingt et un mois (on avait le droit à trois mois de sursis si on était sages), j'allais toucher de quoi payer mon loyer et 250 francs pour vivre. C'est la période de ma vie où j'ai eu le plus besoin de compter. Merci à la carte de crédit du magasin Printemps !

À la Drac de Haute-Normandie, je découvrais le monde des fonctionnaires. Il y en avait qui travaillaient énormément, mais beaucoup aussi qui étaient objecteurs du travail. Les pauses-café étaient si longues et si nombreuses que je me mis à boire les premiers « courts sans sucre » de ma vie, moi qui en étais encore resté au chocolat chaud. Il fallait bien s'intégrer !

Je ne veux pas répéter ici ce qu'a écrit Zoé Shepard dans son best-seller *Absolument dé-bor-dée*, mais j'ai vécu de l'intérieur la fameuse blague des deux fonctionnaires qui, sortant de leurs bureaux, se croisent dans le couloir et se disent : « Ah, toi aussi, tu as des insomnies ? »

Quand, il y a une vingtaine d'années, on nous a annoncé que désormais l'administration avait deux mois pour répondre au courrier des usagers, j'ai précisé sur France Inter : « Les fonctionnaires ont choisi juin et novembre », et je peux vous dire que j'étais documenté.

On m'avait confié le secrétariat de Guy Lauzin, conseiller pour le théâtre et l'action culturelle. Il s'y connaissait. Pionnier de la décentralisation, il avait dirigé le Théâtre de Saint-Étienne avec Daniel Benoin. Lauzin avait été un vrai metteur en scène, ami de Jean Ferrat, ex-mari de la chansonnière Suzanne Gabriello, celle pour qui, selon la légende, Jacques Brel écrivit « Ne me quitte pas ».

À la Drac, je devais aussi assurer le secrétariat du conseiller pour les arts plastiques, qui était souvent absent. Autant vous dire que je ne chômais pas. Notre rôle était essentiellement de distribuer des subventions aux compagnies théâtrales et aux artistes plasticiens de la région. Je devais vérifier que les dossiers de demandes étaient complets, relancer les artistes qui avaient oublié de mettre leur fiche d'état civil ou un simple relevé d'identité bancaire... J'étais parfois effaré de voir où passait l'argent de l'État. Je peux vous dire que j'en ai vu défiler, des projets de sculptures ou d'« installations » pour garnir les ronds-points de Haute-Normandie !

Le pire, c'était quand la fin de l'exercice arrivait ; il fallait dépenser tout le budget qui nous était attribué pour les subventions de l'année, si on voulait avoir au moins le même montant global l'année suivante. Les derniers jours de décembre consistaient ainsi à dénicher des demandes d'artistes, à monter des dossiers express et à distribuer au plus vite des centaines de milliers de francs. J'ai bien peur que cette gabegie perdure dans de nombreuses administrations décentralisées.

Je bossais beaucoup, je bossais bien. Pour un objecteur, j'étais plutôt motivé. « Mais pourquoi tu fais tout ça, tu n'es que de passage, tu devrais t'en foutre », me disaient certains. Je ne savais pas faire autrement ; j'aime pouvoir laisser un bon souvenir et j'en ai d'ailleurs toujours été récompensé. C'est là-bas que j'ai rencontré mon pote Jean-Noël, tout juste nommé responsable du personnel. Il est resté un de mes plus fidèles amis. Depuis, au fil de ses affectations, je l'ai parfois rejoint à Hambourg, Berlin ou Tel Aviv. En Israël, j'ai même emmené avec moi Claude Sarraute, qui voulait aller là-bas une dernière fois.

(En dehors du travail, cette période rouennaise de ma vie ne fut pas la plus heureuse ; sentimentalement, ce n'était pas la joie – mais ce n'est pas l'objet de ce livre. On peut garder son slip pendant une radiographie !)

Je n'avais plus accès à un micro comme palliatif. Après un bref passage à Radio Grand Large, antenne de la presse havraise, où on me regardait avec un certain dédain, j'avais abandonné tout espoir de percer dans ce milieu. Par miracle, Guy Lauzin, qui connaissait mes antécédents et avait vu que mon moral n'était pas au beau fixe, me conseilla de proposer mes services à une petite radio associative culturelle subventionnée par la Drac.

FMR avait été une des premières antennes pirates des années 1980.

La station produisait des émissions avec l'Éducation nationale, proposait des adaptations sonores de pièces et diffusait de la musique rock-new-wave-jazz-funky. Quand je suis arrivé au centre Marc-Sangnier, à Mont-Saint-Aignan, banlieue de Rouen, avec ma cassette démo contenant des extraits de ce que j'avais fait au Havre, je n'étais pas dans le ton. Trop commercial. Trop grand public ! Trop de dialogues avec les auditeurs. Perspicace, Alain Monsillion, le programmateur maison, me fit remarquer qu'en revanche, quand je rebondissais sur l'actualité, c'était plutôt marrant.

J'ose à peine vous raconter ce qui avait attiré son attention.

Parmi les extraits proposés, on pouvait entendre sur RPO, en avril 1985, un flash d'infos donnant des nouvelles de la santé de la comédienne Chantal Nobel. Après son grave accident dans la Porsche de Sacha Distel, le journaliste nous précisait que « le cerveau n'était pas atteint ».

J'avais évidemment repris l'antenne en précisant que c'était déjà une information : qu'on ne savait pas qu'elle avait un cerveau. J'avais ajouté que Claude François avait prouvé dans sa baignoire qu'il était, lui, bien meilleur conducteur que Sacha Distel dans sa voiture...

Là, j'étais dans le ton.

Me voilà engagé – toujours bénévolement – sur FMR grâce à cette pauvre Chantal Nobel ! J'allais, une fois par semaine, enregistrer une revue de l'actualité hebdomadaire revisitée et écrite par mes soins. La direction avait l'air satisfaite de ce que je proposais, mais on ne peut pas dire que je croulais sous les réactions d'auditeurs. On était peut-être plus nombreux à partager la grille des programmes qu'il n'y avait de Normands à l'écoute. Au moins, l'écriture de ces chroniques m'occupait en dehors du temps passé à tenter de remettre de l'ordre dans les dossiers de la Drac.

Une fois par semaine, j'allais dîner dans la campagne normande, chez l'oncle René et la tante Yvette. C'étaient les nouveaux venus de la famille. René, le frère de mon père, avait disparu des radars depuis de longues années, au point que je ne l'avais jamais connu. C'est en m'entendant participer à un jeu sur RTL qu'Yvette interrogea son nouveau mari et lui demanda s'il n'avait pas de la famille au Havre. C'est elle qui prit son téléphone pour renouer avec mes parents. Cela faisait au moins vingt ans que les deux frères ne s'étaient pas revus. Un nouveau miracle de la radio !

On avait eu vite fait de surnommer l'oncle René « Tonton Cristobal », à cause de la chanson de Pierre Perret « Tonton Cristobal est revenu »... Il n'avait pas de pesos ni de lingots, mais, pendant toute ma période d'objecteur, il a eu la gentillesse de m'emmener tous les mercredis jusque chez eux, à La Rue-Saint-Pierre, où un bon repas m'attendait. Ça me changeait des raviolis Buitoni cuisinés le soir dans mon studio et ça coupait la semaine.

J'allais aussi de temps en temps chez l'oncle Louis et la tante Monique, à Pavilly, où, là aussi, je trouvais du réconfort. Un soir, ma tante me complimenta : « Dis donc, c'est drôle ce que tu écris pour FMR, je t'écoute, parfois ; tu devrais envoyer ça à Paris. »

Je n'y croyais pas trop, mais puisque cela avait fonctionné une fois, après tout, pourquoi ne pas retenter ma chance sept ans plus tard.

À cette époque, deux émissions étaient susceptibles d'être intéressées par ce que j'écrivais : *Les Roucasseries*, sur Europe 1, et *L'Oreille en coin*, sur France Inter. J'adressai donc mes textes satiriques à Jean Roucas et à Jacques Mailhot, accompagnés du numéro de téléphone de la Drac et de mon numéro de poste. L'espoir fait vivre.

Quelques semaines plus tard, début février 1987, je suis à mon bureau quand le téléphone sonne (un bon titre pour France Inter !). Le standardiste, qui décrochait toujours avec un : « La culture, j'écoute ! », pas piqué des hannetons, me balance : « Jacques Mailhot, pour vous ! » Je n'ai pas le temps de comprendre que le plus jeune des chansonniers me félicite à l'autre bout de la ligne : « On a lu vos textes avec Maurice Horgues et, franchement, c'est plutôt poilant. Il faut qu'on se rencontre, j'aurais peut-être des choses à vous proposer. Quand pouvez-vous venir à Paris ? »

Je m'entends encore lui répondre : « Le 24 février prochain. » Le rendez-vous était pris. C'était le jour de mon anniversaire. J'étais moi-même surpris par ce réflexe superstitieux. Je n'allais pas m'arrêter là. Muguette, ma copine voyante, me confectionna un grigri bardé de numéros fétiches que je devais me coller sur la peau. J'avais 24 ans, je n'avais encore jamais fumé, mais je portais mon premier patch !

Tante Monique, tout heureuse que son conseil ait porté ses fruits, m'avait accompagné jusqu'à Paris et, me voyant habillé comme l'as de pique, m'avait dévisagé. « Tu ne peux pas aller à ce premier rendez-vous comme ça ; viens, on va chez Marks & Spencer, je vais t'acheter quelque chose ! »

Lâché dans Paris avec mon blouson tout neuf, je me dirigeai vers la Maison de la radio, où j'allais mettre les pieds pour la première fois. C'est là que Jacques Mailhot préparait *L'Oreille en coin*, mais aussi une émission dont j'ignorais forcément l'existence : *Paris Kiosque*, diffusée uniquement sur France 3 Paris Île-de-France.

D'emblée, il me proposa de faire de la télé !

Ma rubrique allait s'appeler *Comme un s'cheveu sur la z'oupe* et c'est la fameuse « casserole » à laquelle j'ai droit dès que je suis invité aux *Enfants de la télé* ou à toute autre rétrospective.

On m'y voit mal dégrossi, moustachu, les cheveux permanentés, un gros nœud papillon de travers, aligner des jeux de mots sans intérêt sur un sujet d'actualité ; je sais évidemment que c'est bien moi, mais j'ai aussi l'impression que c'est un autre.

Cette première et courte expérience télévisuelle ne dura que quelques mois. L'émission s'arrêta au début de l'été 1987. Je ne pense pas que c'était de ma faute, mais, si elle avait été prolongée, j'aurais compris que ce soit sans moi, tant ma participation était peu probante.

En définitive, il valait mieux que je me concentre sur mon travail à la Drac. Au fond, ce boulot me plaisait plutôt et j'envisageais sérieusement de passer les concours pour intégrer cette administration à la fin de mon service civil. Ça me paraissait plus sûr.

Pourtant, j'allais de nouveau avoir des nouvelles de Jacques Mailhot, qui devait croire en mes qualités d'auteur. Pendant l'été, il me fit venir pour préparer un pilote TV avec d'autres complices, parmi lesquels Daniela Lumbroso et Yves Lecoq. Un projet qui ne donna rien, mais, en revanche, Mailhot me demanda l'autorisation de pouvoir utiliser quelques-uns de mes textes pour son nouveau spectacle qu'il allait jouer au Théâtre Moderne, 15, rue Blanche, l'actuel Petit Théâtre de Paris. Pourquoi refuser ?

En septembre, je recevais, comme promis, une invitation pour *Pluraliste que moi tu meurs*, le one-man-show de Jacques Mailhot. Intimidé à l'idée d'y aller seul, j'allai assister au spectacle en compagnie de Nadine, une amie de la bande de terminale. Je ne savais pas encore quels textes on m'avait empruntés, mais très vite je reconnus certaines de mes saillies, comme celle à propos de la célèbre épouse de notre otage au Liban: « Madame Kauffmann: même ses petits oignons, elle n'arrive pas à les faire revenir! », ou encore celle-ci: « Il faut apprendre aux enfants à nager dès leur plus jeune âge, mais, chez les Villemin, la méthode était exagérée. »

À la fin de la représentation, c'est ma copine Nadine qui m'a convaincu d'aller en coulisse saluer l'artiste. Je n'avais jamais fait ça; je n'osais pas (encore aujourd'hui, j'ai du mal!).

J'étais impressionné; me retrouver au milieu de Macha Béranger, Michel Lagueyrie et Danièle Gilbert, pensez donc!

Jacques Mailhot eut la générosité de me présenter, chose rare, comme un jeune auteur qui avait participé à l'écriture de son spectacle. C'est alors qu'un petit monsieur aux cheveux blancs frisés m'interpella et me suggéra: « Puisque vous écrivez des textes, pourquoi ne les dites-vous pas vous-même? Je cherche des jeunes! » Je ne le connaissais pas. C'était Martial Carré, le directeur du Caveau de la République, temple des chansonniers.

Je n'étais pas du genre à défoncer des portes blindées, pas même à mettre mon pied pour empêcher qu'une porte se ferme, mais, si une lumière pénétrait dans l'entrebâillement et qu'il suffisait de pousser un peu pour entrer, alors je ne laissais pas passer l'occasion.

Je n'étais jamais monté sur scène pour dire des textes, mais, après tout, pourquoi pas ? Je ne savais pas non plus ce que désignait le terme « chansonnier ». C'était déjà un mot désuet pour ma génération.

N'empêche, dès le lendemain, rentré à Rouen, j'achetai le *Pariscope* pour trouver le numéro de téléphone du Caveau de la République. J'obtins très vite Martial Carré, qui me donna rendez-vous dès la semaine suivante.

Nouvel aller-retour à Paris ! Je me souviens d'avoir auditionné devant deux chansonniers : Martial Carré, le directeur qui ouvrait et présentait le spectacle, et Edmond Meunier, le doyen du cabaret, qui avait 71 ans. J'étais venu avec des petites fiches et j'ai lu mes textes devant eux. À la fin de mes quinze minutes, j'eus droit au fameux : « On vous appellera. » Martial Carré avait ajouté : « Ce que vous dites sur Jeanne Moreau, ce n'est pas bien ! »

Dans mon tour d'actualité un peu improvisé, je rappelais que le comédien Jean-Pierre Léaud venait de passer devant le tribunal pour avoir cassé un pot de fleurs sur une vieille dame et qu'on l'avait vu ressortir au bras de Jeanne Moreau. Et j'ajoutais : « Comme quoi, elle n'est pas rancunière ! »

Les semaines filaient et, comme je n'étais pas du genre à insister, je m'étais habitué à l'idée que ma prestation n'avait pas convaincu. Peut-être à cause de Jeanne Moreau. Un coup à préférer Chantal Nobel ! Pourtant, deux mois plus tard, Martial Carré me rappelait et m'expliquait qu'il avait un trou dans le spectacle. Accaparé par Dorothée, le fantaisiste Corbier venait d'annuler ses prestations. Si, dès le lendemain soir, je voulais démarrer, c'était l'occasion. Le 10 décembre 1987, j'étais sur scène.

## 6

# 1, boulevard Saint-Martin, Paris

Situé place de la République, au 1, boulevard Saint-Martin, le Caveau de la République était une institution. J'allais passer cinq ans dans ce théâtre de chansonniers.

J'étais pourtant plus attiré par le café-théâtre. À 18 ans, avec les copains bacheliers, nous étions allés au Café de la Gare applaudir Romain Bouteille. Nous avions eu la surprise de voir Patrick Dewaere, pourtant déjà star, distribuer des Petits Lu à tout le public, boîte en fer à la main. Personne n'avait payé le même tarif, puisque chacun tirait au sort le prix de sa place à l'aide d'une roue façon loterie de fête foraine.

J'étais aussi fan des nouveaux talents issus de la troupe du Splendid ou de La Veuve Pichard. Je ne loupais aucun film avec Clavier, Lhermitte, Lanvin,

Coluche, Jugnot, Anémone, Valérie Mairesse, Martin Lamotte ou Josiane Balasko. *Le Père Noël est une ordure* était mon film culte.

Les noms des chansonniers, Jacques Grello, René Dorin ou Jean Rigaux, m'étaient moins familiers. C'étaient les vedettes de mes parents. Ce n'est pas leur faire insulte que d'avouer que je n'avais jamais entendu parler d'André Rochel, d'Edmond Meunier, de Martial Carré ou de Robert Gamelin, avant de me retrouver dans le même programme qu'eux. Je sentais bien que c'étaient les vedettes du lieu, mais je me demandais où je foutais les pieds.

Grâce aux émissions de TV qui avaient biberonné mon enfance, je savais qui était Pierre Douglas, dont les imitations de Léon Zitrone et de Georges Marchais et les fous rires avec Garcimore et Denise Fabre étaient devenus célèbres. Même chose pour Claude Véga, le premier imitateur de Barbara, Maria Pacôme, Annie Girardot, Nana Mouskouri, Denise Glaser... J'avais adoré les *Top à...* que Maritie et Gilbert Carpentier lui avaient consacrés. J'étais impressionné de partager l'affiche avec lui.

Le 10 décembre 1987, me voilà propulsé face à un public de cinq cents personnes plus habituées que moi au Caveau de la République. Précisons pour ceux qui n'y auraient jamais mis les pieds que le Caveau tout comme les Deux Ânes sont de vrais théâtres. Rien à voir avec les cabarets où les spectateurs dînent et consomment pendant que vous tentez d'attirer leur attention. Ce supplice-là viendra plus tard. Au Caveau, les spectateurs sont face à vous et n'attendent qu'une chose : que vous les fassiez rire.

Ma première prestation dut être, si ce n'est réussie, plutôt prometteuse, puisque Martial Carré m'a gardé pour les soirs suivants.

Je devais pourtant être gauche avec mes fiches dans les mains. Je n'avais pas eu le temps d'apprendre mon texte. Mais le public avait ri : c'était d'autant plus encourageant que j'étais totalement inconnu. Sur scène comme ailleurs, on ne prête qu'aux riches. Le même texte prononcé par un débutant ou par une vedette ne donne pas le même effet, je l'apprenais aussi. Pour faire rire autant que Pierre Douglas, il fallait des textes deux fois meilleurs.

C'était une bonne école. Chaque soir, nous étions sept à nous succéder dans le programme et je passais en « deux », comme on disait. C'était la place du débutant, juste après Martial Carré, qui ouvrait le spectacle et chauffait le public. Les premiers temps, cette place me permettait aussi, à peine sorti de scène, d'attraper le Paris-Dieppe de 22 h 15 pour rentrer à Rouen le soir même. C'est que j'avais mon service civil à terminer ! Je vivais déjà à un rythme de dingue.

Le week-end, je dormais dans un petit hôtel, tout près de la place de la République. Vu les allées et venues que j'entendais la nuit, je compris rapidement que la plupart des clients ne venaient pas ici pour se reposer et que les clientes ne coûtaient pas beaucoup plus cher que le prix de la chambre. Moi qui avais parfois l'impression de faire la pute sur scène, je n'allais pas m'offusquer d'être entouré de consœurs.

Souvent, je dînais seul dans un self face au Caveau de la République et j'observais la vie dans cette capitale que je découvrais enfin. Je ne connaissais personne à Paris et vous avez maintenant compris que je n'étais pas du style à devenir copain comme cochon avec Anne-Marie Carrière ou Jacques Mailhot sous prétexte que je les avais croisés deux fois.

Mes parents et le reste de la famille ont mis plusieurs mois avant de venir m'applaudir sur scène. On ne peut pas dire que j'étais très soutenu. Je me sentais très seul; heureusement, je travaillais beaucoup. Chaque soir, en arrivant de Rouen, je remontais les Grands Boulevards à pied, de Saint-Lazare à République, à la fois heureux de venir faire l'andouille sur scène et inquiet de savoir où tout ça allait bien pouvoir me mener.

Pour être honnête, je ne doutais pas trop de mon talent pour faire rire, puisque je voyais bien que chaque soir mon succès grandissait. J'oserais même avouer que, du haut de ma présomptueuse jeunesse, je trouvais que l'endroit où je passais était un peu vieillot et je me disais que le Caveau, c'était très bien, à condition de ne pas y mourir.

En attendant d'en sortir, j'apprenais beaucoup. Chaque soir, j'observais André Rochel qui me succédait sur scène. Il était un des plus vieux pensionnaires et faisait un tabac à chaque représentation. C'était une mitraillette à bons mots : « Jacques Chaban-Delmas, jamais un mensonge n'est sorti de sa bouche ; forcément, il parle du nez ! » Très vite, j'en ai pris l'efficacité et les défauts. Si je n'avais pas un rire toutes les trente secondes, je n'étais pas content. Il me faudra quelques années pour me déshabituer de ce principe « une vanne, un rire » et comprendre qu'il était tout aussi bien de prendre parfois le temps d'installer une situation avant d'en récolter les fruits.

L'ambiance en coulisse était un peu particulière ; l'âge moyen n'aidait pas. Tout le monde partageait la même loge et surtout un compartiment avec deux banquettes qui se faisaient face, comme dans un train. Nous y attendions notre tour, en fonction de l'ordre du programme. On y parlait surtout d'arthrose, de prostate et de vue qui baissait, comme chez le médecin. C'était la salle d'attente et certains attendaient depuis longtemps. Jalousies et rivalités y avaient leur siège. Comme tout débutant, je n'étais pas vu d'un très bon œil par ceux qui n'étaient pas prêts à laisser leur place. Les artistes s'aiment beaucoup entre eux, surtout quand il n'y en a pas d'autres. Certains souhaitaient que je réussisse à la radio ou à la télévision, mais avant tout parce que, faute de temps, j'aurais ainsi laissé une place libre dans le spectacle.

Tout ça ne nous empêchait pas de beaucoup nous amuser. Les commentaires les plus vaches sont souvent les plus drôles. Je me souviens de Didier Follenfant, un imitateur que Martial Carré avait engagé et qui, c'est le moins qu'on puisse dire, tentait des voix jamais imitées avant lui : Daniel Cazal, Lionel Chamoulaud, Jean-Pierre Chevènement, Alain Duhamel... Pour apprécier la performance, il fallait évidemment connaître les originaux et, chaque fois, on n'était pas loin du bide. Cependant, un soir, on entendit des rires venir de la salle. André Rochel me lança : « Il a dû tomber ! »

Au fond de la loge, recroquevillée sur ses travaux de couture, on pouvait trouver, quand elle n'était pas sur scène pour accompagner l'un d'entre nous, la pianiste Gaby Verlor. Elle avait l'air si fragile et était si discrète qu'on pouvait se demander s'il y avait quelqu'un derrière le piano. Certains soirs, quand Martial Carré lui proposait de meubler en interprétant « Le p'tit bal perdu », chanson qu'elle avait composée pour Bourvil, c'était un moment d'émotion qui traversait toute la salle. Je ne l'ai jamais entendue aussi bien chantée que par elle. Et c'était bien... Et c'était bien.

Quelqu'un d'inattendu débuta le même soir que moi au Caveau de la République. Le présentateur météo Alain Gillot-Pétré, que les téléspectateurs connaissaient bien, avait choisi de tenter l'aventure scénique. Ce n'était pas la meilleure période de sa carrière ; il avait quitté Antenne 2 pour la fameuse

Cinq de Berlusconi, et son émission s'était rapidement arrêtée. En attendant de faire un retour en fanfare sur TF1, il venait chaque soir dire quelques textes humoristiques au Caveau de la République. Martial Carré pensait que sa notoriété pouvait attirer le public et il ne s'était pas trompé. « Gillot », comme on l'appelait, était très populaire. D'abord, il était fort sympathique et, comme nous étions lui et moi les bizuts du lieu, cette situation nous a inévitablement rapprochés ; cette complicité persista quand il redevint la star météo de la Une et jusqu'à ce qu'il rejoigne définitivement la carte du ciel, un soir de 1999.

Alain Gillot-Pétré eut la gentillesse d'accepter de jouer dans mon feuilleton radiophonique. En effet, à peine à l'affiche du Caveau de la République, Jacques Mailhot était venu me voir et m'avait proposé de rencontrer Jacques Santamaria, qui dirigeait les antennes de création de Radio France. Il cherchait un auteur capable d'écrire un texte loufoque, dans la veine de *Signé Furax*, créé par Francis Blanche et Pierre Dac. C'était pile-poil pour moi ! Je ne connaissais pas le feuilleton radio, mais j'avais vu le film. Le contrat fut signé. Mon premier gros chèque. 60000 francs pour livrer soixante épisodes ! Je n'en revenais pas. Jamais je n'avais touché autant d'argent. D'autant qu'on n'était pas si mal payés, non plus, dans les cabarets. Vous entendrez toujours les artistes se plaindre, mais moi j'ai toujours comparé ce que je gagnais à ce que j'aurais touché si j'étais resté aide-comptable ou, au mieux, comptable agricole dans la Manche. Grâce à ce premier pactole, je remboursai mon crédit carte Printemps et n'eus plus jamais aucun souci d'argent. Je me considère encore comme un grand chanceux.

*Quand les poules pondront des pommes,* comme son titre l'indique, était loufoque, absurde et bourré de jeux de mots. C'est ce qu'on m'avait demandé. Il s'agissait d'une enquête policière au milieu d'une secte, « les adorateurs de la poule ». Les protagonistes allaient de Normandie jusqu'à Concarneau, histoire de balayer les différentes régions correspondant aux « ateliers de création du grand Ouest », commanditaires du feuilleton.

Mes journées étaient toujours occupées par mon service d'objecteur qui dura jusqu'en avril 1988. J'ai donc écrit cette première « œuvre » dans le train Rouen-Paris ou Paris-Rouen, chaque jour, entre la cité administrative et le Caveau de la République. C'était il y a vingt-six ans et je surmultipliais déjà les activités. Mon chef, Guy Lauzin, touché par mon succès dans ce milieu, et Manoury, le directeur régional des affaires culturelles, très satisfaits de mon travail, fermèrent les yeux, pour les quelques mois qui me restaient à faire, sur ce qui était logiquement illégal : travailler pendant son service national. J'avais bien fait d'être consciencieux dans cette administration, malgré mon statut d'objecteur.

Mon feuilleton fut diffusé sur différents réseaux de Radio France et son casting avait le mérite d'être original. Alain Gillot-Pétré, Olivier Saladin (devenu un des Deschiens par la suite), Florence Brunold et Hubert Deschamps.

Si vous ne voyez pas qui est Hubert Deschamps, allez voir sur le Net, vous ne pouvez pas l'avoir loupé.

Ce fut pour moi une rencontre incroyable : un pif, une voix, un humour, une tronche comme le cinéma français a su en utiliser à une époque révolue. Il fallait l'entendre, après quelques verres, faire encore le numéro de cabaret de ses débuts : « Je n'ai pas connu Vercingétorix, non, j'étais trop jeune, mais j'ai bien connu sa mère, qui donnait des leçons de piano au-dessus du métro Alésia... » Et c'était parti pour un cours d'histoire désopilant.

Au printemps 1988, mon service civil accompli, j'hésitais encore à venir habiter Paris, même si ça marchait de mieux en mieux sur scène. Des « collègues » généreux, comme Serge Llado et Jacques Ramade, me proposaient parfois des remplacements dans d'autres cabarets comme La Main au panier ou Le Pénitencier. J'allais surtout être très vite programmé au Don Camilo rive droite, puis rive gauche, la maison mère. C'était une autre paire de manches. Il fallait convaincre un public qui, entre le champagne et la langouste, consentait à tourner la tête quand on lui annonçait Nestor le pingouin, Anne-Marie Carrière ou Bernard Mabille, mais avait tendance à continuer de parler quand on lui annonçait la présence d'un jeune débutant venu du Havre.

Dans ces dîners-spectacles, plus la soirée avance, plus l'alcool fait ses effets et plus vous avez intérêt à avoir un certain aplomb pour répondre aux éléments perturbateurs.

Je me souviens qu'au début des années 1990, alors qu'on me voyait chaque dimanche aux côtés de Jacques Martin, j'étais à peine entré sur la petite scène du « Don Ca » que quelqu'un cria à la première table, face à moi : « Ah, lui, je le connais, il n'est pas drôle ! » Croyez-moi, il faut un sacré moral derrière ça pour avoir envie de prouver le contraire. Certains soirs, la rue des Saints-Pères donnant sur la Seine, je m'y serais bien jeté. Mais je ne savais pas nager.

Il pouvait m'arriver de faire trois cabarets dans la même soirée, allant en métro de l'un à l'autre. Plus question d'aller revoir ma Normandie. Il devenait urgent que je m'installe dans la capitale.

L'été 1988, Martial Carré proposa de me louer pour une modique somme l'appartement que son fils venait de laisser vide à Montmartre. J'allais devenir parisien, sur la Butte, à deux pas de la place du Tertre, rue Ravignan, en plein cœur du quartier des poulbots.

Je ne pouvais pas être mieux. Dans les rues de Montmartre, ou on est artiste ou on est touriste ; j'espérais ne pas faire partie de la deuxième catégorie.

Parmi ceux qui m'aidèrent à devenir parisien, je dois réserver un passage de ce livre à Dadzu. Grâce aux émissions de Catherine Anglade, *C'est pas sérieux* ou *Sérieux s'abstenir*, j'avais repéré celui qui était auprès de Jean Amadou ce que Piem était auprès de

Jacques Martin dans *Le Petit Rapporteur*. Chansonnier caricaturiste, il était régulièrement programmé au Caveau et au Don Camilo. Muni de son pupitre et de ses feutres, le temps d'une chanson qu'il interprétait lui-même, il croquait Brassens, Renaud, Pierre Perret, Mitterrand... Plusieurs personnes du public avaient la joie supplémentaire de pouvoir repartir avec l'un des portraits.

Dadzu a été celui qui m'a le mieux accueilli dans ce métier. Toujours d'humeur égale, joyeux, généreux, il était la définition du dandy. Homme à femmes et séducteur, on aurait pu croire qu'il venait d'une autre époque. Il venait d'une autre époque.

Daniel Dupéchez, de son vrai nom, vivait rue Sainte-Croix-de-la-Bretonnerie, en plein cœur du Marais. Il n'était pas homosexuel pour autant. Il partageait là un appartement avec sa femme, Francesca, dont il était séparé, mais avec qui tout se passait bien, chacun présentant à l'autre son compagnon (pour elle) ou ses conquêtes féminines (pour lui). Une philosophie de vie qui m'épatait. Même s'ils avaient une fille adorée, Fanny, devenue photographe, Dadzu n'avait pas eu de fils et j'allais être le sien jusqu'à ce qu'il nous quitte, en 1999. Il m'invitait souvent à dîner chez lui, où on ouvrait de bonnes bouteilles avec un de ses vieux amis, André Gaillard, qui hélas avait perdu son frère ennemi. En échange, je l'invitais souvent au restaurant, où on pouvait traîner jusque tard à parler politique, anecdotes du métier et avenir professionnel.

Je me rappelle qu'en 1999, quand j'ai écrit mon one-man-show *Enfin gentil*, pour le Théâtre Grévin, Pascal Légitimus, mon metteur en scène, m'avait dit: « Ça va être bien, ton spectacle, mais tu parles toujours des autres! Rien sur toi! Ce serait bien que tu y mettes des choses un peu personnelles. » J'étais parti seul à Venise, ma ville préférée, et sur le Campo Santa Margherita, dans le Dorsoduro, loin des pigeons de la place Saint-Marc, j'avais gratté deux textes inédits.

J'avais cherché ce qui pouvait bien me caractériser et pourrait amuser le public. Je m'étais arrêté sur deux particularités qui pouvaient donner lieu à des sketchs. Le premier concernait mes lunettes (j'en porte depuis l'âge de 12 ans) et je racontais une visite chez l'ophtalmo. Le deuxième portait sur mon homosexualité. Je décidai d'y faire mon *coming out*.

Une fois le sketch écrit, je me demandai si c'était une bonne idée et je suis sûr que le premier numéro que j'ai composé sur mon portable fut celui de Dadzu. Je lui fis part de mes doutes et, évidemment, j'eus pour toute réponse: « Mais c'est une idée géniale! Un *coming out* sur scène! Tu vas être le premier! Et puis, tu seras tranquille! Ce sera fait! Fonce! »

*Ah oui, il y a une chose que je voulais vous dire juste avant de partir: je suis homosexuel... Oui, vous avez bien entendu, monsieur... homosexuel... en deux lettres: PD!*

*Ça ne se voit peut-être pas comme ça... mais c'est justement pour ça que j'ai envie de le dire... Oui, parce que ça ne se voit pas forcément... alors bon, je rate des occasions ! C'est trop bête...*

*Je sais, ce n'est pas commun d'annoncer ça comme ça sur scène ; mais bon, je n'allais quand même pas vous l'annoncer en faisant une pub pour le fromage des Pays-Bas, ça a déjà été pris !*

*J'en vois qui ne me regardent plus du même œil... qui se demandent dans quelle catégorie je suis : phoque, enculé, PD, tante, folle, autoreverse ?*

*Ce que j'aime le moins, c'est phoque ! Non, parce que si c'est pour être récupéré par Brigitte Bardot, ça ne m'intéresse pas... PD, oui, FN, non !*

*PD, c'est sympathique, même si c'est un peu galvaudé, aujourd'hui... C'est vrai, maintenant, on traite tout le monde de PD... J'ai même entendu un jour quelqu'un balancer : « Ouah, t'es qu'un PD, toi, si tu m'touches, j't'encule ! »*

*Tante, c'est plus rigolo ! D'autant qu'on entend souvent l'expression : « Si ma tante en avait deux, on l'appellerait mon oncle ! » Alors qu'au contraire il faut qu'un oncle en ait quatre pour qu'on l'appelle une tante !*

*Quant à « folle », c'est un cliché et ce n'est pas facile de combattre les clichés. Moi-même, j'ai longtemps pensé que les Grecs étaient tellement PD que chez eux les coiffeurs étaient hétérosexuels...*

*J'avoue, j'ai souvent fait quelques plaisanteries grasses, comme tout à l'heure, sur notre athlète Trouabal, ou parfois, à la radio, sur la féminité de Roch Voisine, Pascal Sevran ou Hervé Vilard... Eh bien, je le dis aujourd'hui :*

*je regrette... D'autant que ma mère m'a toujours dit: «C'est pas beau, d'attaquer les filles...»*

*Remarquez, ça, j'ai écouté... Les filles, je ne les attaque plus.*

*Il faut dire que je me suis aperçu sur le tard que j'étais homo... Il était 22-23 heures...*

*En fait, je crois me souvenir que je m'en suis rendu compte quand j'ai eu ma première érection en regardant Marielle Goitschel à la télévision...*

*Oh, au début, ça m'a fait peur... Je ne voulais pas y croire... Je suis allé voir un psy. Je lui ai dit: «Docteur, je crois que je suis PD...» Il m'a dit: «Allongez-vous sur le canapé...» Je lui ai dit: «Ah bon, vous aussi?...» Ça m'a coûté 500 francs et il ne m'a rien fait!*

*J'espère quand même que ce n'est pas un sujet qui vous dérange... Moi, en signe de solidarité, je me suis épinglé le fameux petit ruban rouge... Faut reconnaître que ce n'est pas pratique... ça fait quand même un trou au bout du préservatif! D'ailleurs, si le pape est contre le préservatif, en fait, c'est parce que ça lui irrite la peau!*

*Heureusement, la majorité des évêques français sont désormais pour l'utilisation du préservatif... Il faut dire que les religieuses ne portent plus de collants!*

*Qu'est-ce que je vous disais, déjà? Ah oui, que j'étais homo... Je sais... je n'aurais peut-être pas dû vous le dire... mais Guy Bedos s'est pas gêné pour le dire... Non pas qu'il le soit, lui... Lui, il ne l'est pas... Enfin, j'en sais rien, ça le regarde!*

*Mais que je l'étais, moi!... Il s'est amusé à le balancer un soir, sur Canal Plus, dans* Nulle part ailleurs. *Bon, c'est de bonne guerre, il s'est vengé parce que j'avais dit un jour qu'il avait une moumoute...*

*Et faut reconnaître qu'une moumoute, par rapport à l'homosexualité, ça doit être dur à porter!*

*En tout cas, voilà, c'est dit... Je ne voudrais pas que ça change votre comportement...*

*Si je refais un spectacle, j'espère que vous en serez...*

*Mais, surtout, s'il vous plaît, ne dites rien à mes parents... Ils viennent demain soir et je veux leur faire la surprise!*

Je ne saurai jamais si mes parents l'avaient deviné – jamais le sujet n'a été abordé –, mais je n'ai jamais regretté d'avoir fait ce sketch qui m'a libéré. Merci, Dadzu!

J'ai fait là un bond trop rapide dans le temps. Autre preuve que Dadzu était d'une générosité, d'une lucidité et d'une modestie sans égales; il n'avait que 62 ans, en 1988, quand son fidèle ami Jean Amadou lui proposa de le rejoindre pour l'aider à écrire avec Jean Lacroix, spécialiste des anagrammes, une nouvelle émission sur Europe 1. Dadzu répondit: « Tu ne crois pas qu'on est un peu vieux, tous? Ça fait réunion de vieux croulants, ton truc. Tu devrais venir au Caveau de la République, il y a un petit jeune; lui, il pourrait t'écrire des textes! »

## 7

# 26 bis, rue François-Ier

Sur conseil de Dadzu, Jean Amadou fit un saut au Caveau de la République pour vérifier si j'étais aussi efficace qu'on avait bien voulu lui dire. Je l'avais convaincu, puisque dès l'entracte il me proposa de prendre un verre au bar. Il m'annonça qu'en cette rentrée 1988 Europe 1 allait lui confier une émission quotidienne, de 8 h 30 à 11 heures. Il cherchait des auteurs. Et je pouvais en faire partie !

C'est grâce au succès du *Bébête show* que la cote de Jean Amadou était remontée dans les médias. Engagé par Stéphane Collaro pour soutenir Jean Roucas dans l'écriture des dialogues quotidiens de Kermitterrand, Marchy la cochonne, Black Jack, Pencassine et Lang de chèvre, il était la caution culturelle du bestiaire d'avant 20 heures, sur TF1.

Ce rendez-vous quotidien était devenu un vrai phénomène de société, dont l'apogée fut la présidentielle de 1988.

Au début des années 1980, à la télévision, les chansonniers et l'équipe de *Sérieux s'abstenir* s'étaient laissé démoder par l'arrivée du *Petit Rapporteur* et de *La Lorgnette*, de Jacques Martin, *La Minute nécessaire de monsieur Cyclopède*, de Pierre Desproges, sans oublier l'équipe de *Merci Bernard*, de Jean-Michel Ribes. On peut d'ailleurs noter qu'entre humour de droite et humour de gauche, au fond, là aussi, il y avait eu alternance.

À part *L'Oreille en coin*, le dimanche matin sur France Inter, la génération Amadou était retournée courir les cabarets pour gagner sa vie. Les carrières des artistes sont ainsi faites que le succès n'est jamais définitivement acquis, mais il n'est jamais totalement perdu non plus. Regardez le triomphe de notre copain Gérard Hernandez, à 80 printemps, dans *Scènes de ménages*, sur M6.

Sur le tard, Jean Amadou redevenait intéressant pour les radios grâce aux marionnettes politiques de Stéphane Collaro, qui se démodèrent plus tard à cause des *Guignols* de Canal Plus, eux-mêmes aujourd'hui démodés à leur tour. Le mieux, c'est d'être hors mode. Ainsi, on ne se démode jamais.

En septembre 1988, je suis donc entré à Europe 1 pour travailler auprès du plus grand tandem des studios : Maryse Gildas, Jean Amadou (1 m 80 avec les talons et 1 m 93).

Ça n'a l'air de rien, mais la taille, c'est toujours ce dont les téléspectateurs vous parlent en premier : « Je vous voyais plus petit ! » « Vous êtes plus grand que dans mon téléviseur. »

Dans ces cas-là, je prends le temps d'expliquer : à la télévision, je suis souvent assis et, comme j'ai des grandes jambes, on ne soupçonne pas mon 1 m 83. À mes débuts, auprès de Jacques Martin, nous étions debout côte à côte et il montait sur un cube pour ne pas qu'on voie qu'il était une tête en dessous de moi !

Je n'en étais pas encore là. En arrivant à Europe 1, je me faisais tout petit face à Maryse et à Jean.

Toutefois, je compris rapidement que Maryse Gildas aurait plus d'importance dans l'émission que ce que Jean Amadou avait imaginé. D'abord, parce qu'elle maîtrisait mieux que lui le direct radio et, ensuite, parce que ses années passées aux côtés de Coluche avaient fait d'elle une animatrice à part entière et non plus une simple speakerine ou meneuse de jeu. Elle était aussi plus moderne et beaucoup plus dans le coup ; Jean était incollable sur Chateaubriand ou Félix Faure, mais totalement largué sur Jean-Louis Aubert ou même sur Indochine, dont le leader était pour lui le général Bigeard et non Nicolas Sirkis.

Plutôt que d'écrire pour Jean des monologues sur l'actualité, j'optai très vite pour une formule dialoguée dans laquelle je faisais de plus en plus intervenir Maryse. Pour son plus grand plaisir. Il faut dire que je la trouvais belle ! Pour moi, c'était la Parisienne type, telle que je la voyais dans les dessins de Kiraz, quand je feuilletais les vieux *Jours de France* dans le salon d'attente du coiffeur ou du dentiste. J'avais le béguin pour Maryse ! C'est même grâce à elle que j'ai rasé mon hideuse moustache. Elle m'avait promis un baiser sur la bouche si je me débarrassais de ce paillasson ramené de Normandie. Elle tint parole. Sans que Philippe Gildas n'ait à s'en inquiéter, son épouse m'a appris beaucoup de choses, y compris comment bien se conduire quand, en déplacement, nous fréquentions de beaux hôtels. La première fois que j'ai rempli une fiche petit déjeuner pour être servi en chambre, j'ai été étonné qu'on ne m'ait rien apporté. C'est Maryse qui m'a expliqué qu'il fallait mettre la fiche remplie la veille au soir, certes autour de la clenche de la porte, mais que côté couloir, c'était plus pratique... Elle avait du boulot, je revenais de loin ! Le luxe, ça s'apprend, mais on s'habitue vite...

Chaque matin, j'apportais mes propositions dans le bureau de l'émission. Je fournissais beaucoup et, pour être performant, je me levais à 4 heures pour écouter toutes les infos, lire les journaux et apporter « du frais ». D'autres auteurs qu'Amadou connaissait depuis plus longtemps lui refilaient des blagues de la veille ou des vannes recyclées portant sur les gouvernements précédents. Parfois, seuls les noms des ministres avaient été changés !

Une fois de plus, je travaillais. Beaucoup. J'étais motivé, faut dire, je bossais enfin à la radio et j'étais payé ! Très bien, même. Et on me faisait de plus en plus confiance.

Patrice Blanc-Francard, le directeur des programmes, poussé par Maryse, me proposa même très vite d'avoir la responsabilité des textes de l'émission et d'engager moi-même d'autres auteurs pour m'aider. J'ai alors choisi Jacques Ramade, très chansonnier, et Jean-Marie Gourio, très *Hara Kiri*. Ils me semblaient très complémentaires.

J'avais lu les premières « Brèves de comptoir » dans le magazine *Zéro* et j'en étais client :

« Chaque jour, t'as trente morts sur la route. Moi, je vais rouler sur le trottoir. »

« L'an 2000, c'est pour demain, et l'an 3000, pour après-demain, à croire qu'on fait des journées de mille ans. »

« Les flics en civil ont des gueules de flics en civil pour qu'on les reconnaisse. »

J'adorais ça ! Jean Amadou, un peu moins. Cet univers décalé, surréaliste, parfois poétique n'était pas pour lui. Si bien que Gourio ne resta avec nous que quelques semaines. Je le retrouverais plus tard.

Jacques Ramade, lui, resta jusqu'au bout. Il me fit rire dès que je le vis pour la première fois, au Caveau de la République, où il n'assurait pourtant que des remplacements. Il méritait mieux. C'est pour ça que je l'ai emmené dans mes valises partout où j'ai pu. Il aurait fait une excellente « Grosse Tête ». Hélas, il nous a quittés l'an dernier. Laissez-moi vous livrer ici quelques-unes de ses « Brèves » de l'époque et, à la fin de ce livre, vous pourrez retrouver le texte hommage qui résume bien notre long parcours commun.

« Fait divers réconfortant : dans un asile d'aliénés, deux débiles mentaux profonds qui regardaient *Tournez manège* en se moquant des candidats ont été remis en liberté ! »

« Quelle différence y a-t-il entre le tennis et le RPR ? Le tennis est à l'Open de Bercy et le RPR est à la merci de Le Pen. »

« On annonce la sortie du film *Croc-Blanc* : Patrick Sabatier porte plainte pour plagiat. »

« Régine s'est frottée pendant vingt minutes avec un gant de crin amaigrissant... Le gant a perdu vingt grammes. »

« Jeanne Mas est allée au musée Picasso. On ne l'a pas laissée sortir. »

« En URSS, Leningrad redevient Saint-Pétersbourg. En France, Georges Marchais reste Georges Marchais. »

« À Moscou, un ramasse-miettes plein a été racheté par une boulangerie en gros. »

« Cinéma : Catherine Deneuve s'est fait photographier dans une robe d'Yves Saint Laurent. On a surpris une légère expression dans la robe. »

« Préservatifs dans les lycées : les élèves ayant une bourse paieront demi-tarif. »

« Pour ceux qui prennent l'avion, n'oubliez pas la devise : partez par Air Inter, arrivez Air-intés ! »

« Quelle différence y a-t-il entre la France et l'URSS ? En URSS, on confisque les biens, en France, on garde les mauvais ! »

« La Macédoine est devenue indépendante. Les œufs durs seront servis à part. »

Jacques Ramade

Le statut de « nègre » – aujourd'hui, on dit auteur, parce que, même au sens littéraire, c'est plus correct – n'est jamais très agréable. Pour l'avoir vécu, j'ai aujourd'hui encore des scrupules à utiliser d'autres plumes que la mienne. C'est la raison pour laquelle j'ai préféré écrire ce livre en solo, quitte à ce qu'il ait des défauts. Au moins, ce seront les miens. Il en est évidemment de même pour mes pièces de théâtre.

Seule entorse à ce principe, la télévision, où, depuis plusieurs années, Jonathan Kistner et Arnaud Crampon m'aident à trouver chaque semaine de nouvelles plaisanteries sur l'actualité. Pour autant, je serais incapable de lire bêtement un prompteur sans avoir initié ce que je vais dire, corriger, modifier et trier moi-même ce qu'ils me proposent. Je sais donc ce qu'ils doivent vivre quand je barre une phrase, modifie une chute ou préfère une brève à une autre. Je me revois alors, vingt ans plus tôt, râler parce que Jean Amadou n'avait pas osé aller au bout de la vacherie que j'avais écrite sur Untel ou Untel.

Généralement, quand on est à l'antenne, on a quelques amis dans le métier avec lesquels on n'a pas forcément envie de se fâcher. Les auteurs, moins.

Il fallait me voir bouillir derrière la vitre d'Europe 1, en régie, quand j'entendais Jean Amadou édulcorer une vanne à laquelle je tenais. Jean votait à droite et je votais à gauche. Ça n'aidait pas. J'imagine qu'il n'avait pas toujours envie de dire ce que je pensais.

Question de génération aussi ; il était plus frileux et avait suffisamment galéré pour adopter le principe de précaution.

Le plus frustrant, c'était quand j'écrivais le portrait amusant – et plutôt élogieux, forcément – que Jean Amadou lisait à son invité du jour. Voir Charles Aznavour, Johnny Hallyday ou Michel Rocard quitter le studio d'Europe 1 en félicitant Jean et en lui demandant (parfois uniquement par politesse, j'en conviens) s'ils pouvaient emporter le texte, c'était le moment le plus difficile. On a envie de crier : « C'est moi ! C'est moi ! » Heureusement, j'avais entre-temps été engagé pour une saison sur Radio France Normandie Rouen (devenue France Bleu) et je pouvais compenser ma frustration de la semaine en m'amusant devant un micro régional le week-end.

Il n'en reste pas moins que Jean Amadou fut un auteur prolixe qui publia une bonne dizaine de livres, rédigés de sa propre main. Un de ses aphorismes préférés était :

« Socrate disait : "Je sais que je ne sais rien", donc chacun de nous en sait plus que Socrate, puisque nous savons au moins que Socrate ne savait rien. »

C'était Maryse, qui, généreusement, de temps en temps, signalait mon existence aux invités, leur désignant ce jeune Normand un peu maladroit qui se cachait au fond du studio. Pour rien au monde je n'aurais essayé de me mettre en avant autrement que par ce que j'écrivais. Je n'ai même pas une photo aux côtés de Johnny ou de Renaud. La peur de demander, peut-être autant par pudeur que par fierté. J'avais besoin du micro ou de l'antenne pour être désinhibé.

Mes activités de directeur de théâtre et de producteur me forcent aujourd'hui à aborder plus facilement les artistes, mais il m'arrive encore de repousser un appel au lendemain et de ne composer un numéro qu'après de nombreux atermoiements. Récemment, j'ai demandé à mon ami Marc-Olivier Fogiel s'il avait le téléphone de Jeanne Moreau, que j'avais besoin de joindre pour lui proposer un rôle au théâtre. J'ai dû garder le numéro quinze jours sans jamais oser l'appeler. Jusqu'à ce qu'un matin Pierre Bénichou nous raconte sur Europe 1 qu'il adorait les restaurants Courtepaille. Avec toute la bande, nous nous moquions de lui depuis dix minutes, quand, comme ultime rempart, il nous balança : « Mais vous êtes une bande de cons, je ne suis pas le seul à aimer Courtepaille ! Même Jeanne Moreau, elle y va tout le temps ! »

Re-moqueries générales ! « Jeanne Moreau chez Courtepaille ! Et puis quoi encore ? » Je m'entends le défier :

« Attention à ce que vous dites, Pierre, j'ai le téléphone de Jeanne Moreau, on va l'appeler et on va lui demander ! »

On appela Jeanne Moreau en direct dans l'émission et, à la question posée, elle répondit *illico* :

« C'est vrai, j'adore Courtepaille ! »

Ce moment reste une séquence *best of* de *On va s'gêner*, mais, en revanche, je n'ai jamais osé rappeler l'actrice pour lui proposer un rôle. Au micro, pour amuser les auditeurs, j'avais été capable d'utiliser un numéro que, pendant deux semaines, je n'avais pas eu le courage de composer chez moi.

Pendant ces deux premières saisons parisiennes, de 1988 à 1990, dans l'équipe qui encadrait hors antenne Amadou et Maryse (plus voyants qu'Amadou et Mariam), deux jeunes femmes débutaient en même temps que moi : Fabienne Amiach et Fabienne Chauvière.

Depuis 1990, la première fait la pluie et le beau temps sur France 3 et la deuxième est devenue journaliste spécialiste de l'agroalimentaire, du spatial et de l'énergie sur France Info et France Inter. Dans ce métier, on ne fait que se croiser et, si les chutes dans l'escalier de la notoriété peuvent être précipitées, les ascensions restent toujours possibles. C'est l'avantage.

Vous retrouvez, vingt ans plus tard, Franck Seurat, le coursier qui apportait les colis volumineux à Jean et Maryse, producteur des plus grandes émissions de variétés de la télévision française. Même chose pour Philippe Thuillier, devenu grand producteur lui aussi, alors qu'à l'époque il fournissait notre équipe en éphémérides. Ceci prouve qu'il était doué, puisqu'il suffisait d'arracher la page de n'importe quel almanach.

Michel Drucker pourrait penser la même chose à mon propos. Je l'ai croisé pour la première fois pendant le Tour de France 1989, dont Europe 1 était le partenaire. Chroniqueur vedette, il intervenait dans « notre » émission et, comme moi, il arrivait bien plus tôt que tout le monde pour écrire son billet, quelle que soit la ville-étape d'où nous diffusions.

Nous étions à Lille, ce jour-là, logés au Carlton (mais je n'ai pas souvenir que les chambres fussent « garnies ») et, en dehors d'un bonjour timide en arrivant dans les locaux de la permanence régionale de la station, je n'ai pas su dire trois mots de plus à celui qui était déjà la star des animateurs. J'étais trop impressionné de travailler à deux mètres de lui. Malgré son excellente mémoire, il ne peut pas s'en souvenir. Il aura fallu plus de vingt ans pour que les Haut et Bas-Normands que nous sommes se réunissent enfin régulièrement. Nous aimons échanger amicalement sur ce métier qui nous passionne.

Aujourd'hui que je le connais un peu mieux, je peux enfin répondre à cette question lancinante qui revient dès que quelqu'un hors du métier m'interroge : « Alors, il est comment, Michel Drucker ? Il est vraiment gentil ? »

Oui, Michel Drucker est un gentil. Il peut avoir des humeurs, comme vous, comme moi. Non, il ne pense pas du bien de tout le monde, parce que, alors, ça voudrait dire qu'il est « gentil » au sens de « couillon », mais c'est sans aucun doute celui qui a le plus de savoir-vivre et le plus grand sens de la fidélité en amitié. « Un mec bien » me paraît être la bonne définition. Ce que chacun devrait chercher à devenir. Bref, Michel, c'est le taulier et on lui doit le respect.

Sur ce Tour de France 1989, outre les textes que je devais fournir pour Maryse et Jean, j'écrivais aussi chaque matin un petit papier sur la ville-étape, chronique que j'avais obtenu de dire moi-même.

Ce furent, cet été-là, mes vrais débuts au micro d'Europe 1. Hélas, de courte durée.

Au matin de la neuvième étape, nous devions, Fabienne Chauvière et moi, logés dans un hôtel à une trentaine de kilomètres de Pau, la ville de départ, rejoindre le studio itinérant pour apporter les textes du matin. Mal réveillée, Fabienne préféra me laisser conduire la Peugeot siglée aux couleurs d'Europe 1 et marquée au nom de Maryse. Je n'ai pas osé dire que, debout depuis 4 heures du matin pour pondre les dialogues humoristiques du jour, j'étais fatigué. J'ai voulu faire « le mec », alors que je n'avais pas touché un volant depuis trois ans et que je n'avais jamais piloté une telle berline. Il pleuvait. Nous étions en retard et affolés à l'idée que Jean et Maryse démarrent à 8 h 30 sans le contenu de l'émission. J'ai roulé trop vite. Sur la route de Tarbes, il y avait le feu de signalisation temporaire d'un chantier ; je n'ai pas voulu le voir.

La suite, c'est une voiture que nous avons prise de face, des tonneaux, une glissade sur le toit, Fabienne qui s'extirpe de la voiture Europe 1. J'avais le pied coincé, mais on m'a dégagé moi aussi. J'étais responsable. Dans ces cas-là, tout est très rapide. On me dit qu'il y avait toute une famille dans l'autre voiture. Il y « avait » ?

Heureusement, il ne s'agissait que de blessures, graves mais temporaires. Aucune victime des deux côtés. Lourdes n'était pas loin, c'était un miracle. Après nous être inquiétés pour les gens d'en face, notre premier réflexe fut de penser aux textes perdus dans la voiture !

À l'hôpital de Pau, en attendant d'être opéré, j'étais effondré. Madame Couderchet, qui était dans l'autre voiture, sut trouver les mots. « Vous pourriez être mon fils. L'essentiel est que nous soyons tous vivants. » Jean et Maryse me rendirent visite dès le lendemain, mais, pour moi, le Tour et mes débuts au micro d'Europe 1, c'était fini. L'histoire du Tour de France retiendra la victoire de Greg Lemond sur Laurent Fignon, grâce à huit secondes de différence, le plus petit écart jamais enregistré. Moi, je retenais la leçon de la prudence sur la route et, si j'en avais encore besoin, la toute relativité du sérieux des échos lus dans la presse. Au lendemain de l'accident, le journal *L'Équipe* raconta que Maryse avait échappé à un terrible accident de la route, juste avant de commencer son émission. Remarquez, elle y avait échappé au sens où elle n'était pas dans la voiture. Les journalistes ont toujours raison.

Après un été sur béquilles, j'entamai ma deuxième saison auprès de Maryse et d'Amadou, qui, gentiment, me laissèrent de nouveau ma chance à l'antenne. J'avais droit à trois minutes à 10h45. Ça m'a valu mon premier article dans *France-Soir*: « Laurent Ruquier fait rosse et féroce: son "Journal de l'an 2000" est une séquence réjouissante du rendez-vous matinal d'Amadou et de Maryse. » Croyez-moi, un premier papier, ça compte! Pas pour le directeur des programmes...

Patrice Blanc-Francard estimait en effet que je « segmentais la ménagère » (déjà!) et que je n'avais pas une voix suffisamment radiophonique. Pourtant, j'avais décidé d'éliminer mon cheveu sur la langue. J'ai encore la lettre que mon orthophoniste, Rosine Lapchin-Mazet, avait adressée à mon médecin généraliste:

« Monsieur Ruquier présente un sigmatisme interdental sur S-2 qui, professionnellement, le handicape compte tenu de son métier, et surtout l'inhibe lors des passages possibles à la radio puisqu'il est comédien et surtout animateur. Le désir de remédier à ce défaut, qui, pour un comédien, serait très léger, est pour monsieur Ruquier non seulement légitime, mais semble primordial pour le déroulement optimum de sa carrière.

Étant donné l'âge de monsieur Ruquier, ce défaut de prononciation est installé depuis longtemps et il serait illusoire d'entamer tout de suite des exercices de prononciation sans être passé avant par des séances de tonus corporel du type relaxation

Schultz-Le Huche. Ces exercices sont en effet indispensables pour parvenir ensuite aisément au contrôle des muscles très complexes et nombreux de la sphère bucco-laryngée. Trente séances seront nécessaires. »

Schultz-Le Huche ! Rien que le nom de la méthode était imprononçable et je ne connaissais pas encore ma copine Isabelle Mergault pour prendre des cours collectifs. Voilà que je me retrouvais allongé sur la moquette en train d'essayer de prendre conscience de mon corps, d'apprendre à respirer et... tout le toutim ! Dans ma tête, ça faisait tsss, tsss ! Et dans ma bouche aussi. Avant de bien prononcer les « ssssss », il s'agissait donc de reprendre confiance en soi. Ça me faisait penser au serpent Kaa, dans *Le Livre de la jungle* : « Aie confiance ! » Pourtant pas un modèle, au niveau des sifflantes...

Au début, je n'y croyais pas trop, mais je dois admettre que le résultat a été positif : mon cheveu était moins épais qu'avant ou alors c'est que dorénavant je m'en fichais ! Ce qui est sûr, c'est que si j'ai le trac ou que je suis dans une situation intimidante, encore maintenant, je le sens repousser tout seul.

J'avais en tout cas suffisamment confiance en moi pour adresser une cassette audio (encore !) *best of* de mes « Petits Journaux de l'an 2000 » à la direction de France Inter. Je voulais quitter Europe 1. J'y étais malheureux. Ma présence à l'antenne était perpétuellement remise en question, puisque le directeur des programmes ne croyait pas en moi. Marc Prique, le réalisateur de l'émission, non plus. Il me regardait de haut et préférait de loin les canulars téléphoniques de Jean-Yves Lafesse. Rien n'est jamais facile !

Chaque mois, je sauvais ma peau à l'antenne parce que Jean Amadou avait besoin de moi pour ses textes. Voyant que je commençais à me lasser de ma clandestinité, Jean tenta aussi de me recommander auprès de deux de ses confrères.

Je rencontrai ainsi Paul Wermus, qui démarrait une nouvelle émission quotidienne sur France 2, *Les Démons de midi*, mais ma candidature ne fut pas retenue. Paul s'en veut encore aujourd'hui, mais moi, je ne lui en veux pas.

J'eus aussi un rendez-vous avec Philippe Bouvard, qui cherchait des auteurs pour sa nouvelle quotidienne de la 5, *Bar des ministères*.

Comme demandé, le matin même, j'avais fait envoyer à la production toute une série de brèves humoristiques sur l'actualité, en prenant soin de ne pas donner les mêmes à Jean Amadou. Les infos du jour m'avaient gâté : Yannick Noah s'était brûlé au deuxième degré en faisant un barbecue dans son jardin et Brigitte Bardot avait fait castrer l'âne de son voisin ! Le même jour ! Du pain béni.

Je devais ensuite me rendre l'après-midi aux studios des Buttes-Chaumont, pour voir si mes propositions avaient été retenues. Je n'eus ce jour-là aucun contact avec Philippe Bouvard, qui me désigna de loin à son factotum barbu. Le sosie de Carlos se dirigea vers moi. « Monsieur Bouvard vous fait dire que vos textes n'ont pas été retenus ; au revoir, monsieur. » Ni plus ni moins. Décidément, la télé, c'était trop tôt pour moi. Il valait mieux que je persévère à la radio, quitte à changer de maison.

Le jour où j'ai annoncé mon départ pour France Inter, on m'a proposé d'augmenter considérablement mon salaire et d'écrire aussi pour le *Bébête show*. Ça n'aurait été que justice, puisque Jean Amadou me demandait parfois de pouvoir utiliser une ou deux de mes trouvailles sur l'actualité pour les marionnettes du soir.

Pourquoi les directeurs d'antenne vous font-ils toujours la cour une fois que c'est trop tard ? C'est avant qu'on ait décidé de partir qu'il faut nous dire qu'on nous aime. Maryse et Jean Amadou, qui, eux, tenaient à moi, m'invitèrent chez Il Sorrentino, rue de Montessuy, un des meilleurs restaurants italiens de Paris. Rien n'y fit.

Je suis têtu et, quand j'ai décidé, j'ai décidé. Jusqu'à présent, ça m'a plutôt porté chance. *Bye bye*, Europe 1, je reviendrai !

À France Inter, on me proposait un test sur la grille d'été sans promesse de pouvoir rester à la rentrée. Je prenais un risque. J'avais interrogé mes amis. Tout le monde me conseillait de ne pas quitter la rue François-Ier. Je n'ai écouté que moi-même. Peut-être parce que pendant toute mon adolescence, derrière mon poste de radio, je n'ai fait qu'écouter les autres.

# 8

# 116, avenue du Président-Kennedy

Je crois savoir que c'est grâce à mes blagues sur Henri Leconte et Yannick Noah que ma cassette retint l'attention de Pierre Bouteiller et de sa conseillère, Nicole Rossi. Bouteiller était directeur des programmes de France Inter depuis un an, mais j'ignorais qu'on ne devait pas le déranger pendant Roland-Garros. Il n'en fallait pas plus pour le convaincre :

« On a demandé à Johnny Hallyday pourquoi il ne tournait pas la tête dans le même sens que les autres pendant les échanges, il a répondu : c'est normal, je suis arrivé en retard. »

« Henri Leconte a joué contre un mur. Le mur a gagné 6-0, 6-0, 6-0. »

« Leconte se qualifie toujours pour les quarts, les demies, voire la finale... mais il perd toujours en finale… Ça doit être l'enfant caché qu'Arlette Laguiller a eu avec Raymond Poulidor! »

« Yannick Noah porte peut-être des tresses, mais il apporte aussi des barrettes! C'est pratique, il a les dents du bonheur… il peut fumer un joint sans mettre les mains! »

« Vous l'avez vu toute la semaine dans les gradins. Pierre Perret sera le seul Français qualifié pour les demi-finales. »

« Jean-Marie Le Pen est allé à Roland-Garros, il reste persuadé que c'est du squash. »

Merci, la poste! Une fois de plus, mon courrier était arrivé à destination et j'entrais 116, avenue du Président-Kennedy. Le facteur chance était mon seul piston.

J'admirais beaucoup Pierre Bouteiller, que je regardais, en 1987, quand il animait *Club 6*, un talk-show culturel tardif sur M6. Je le connaissais moins à la radio. Mais lui, la radio, il maîtrisait. On ne dira jamais assez comme il est agréable d'avoir un directeur des programmes qui sait ce que c'est que l'antenne et qui a déjà animé des émissions avant de vous donner des conseils d'animation.

Aux postes de direction, il y a des technocrates ou des saltimbanques. Je me suis toujours mieux entendu avec les saltimbanques.

J'étais très impressionné d'entrer à France Inter. *A priori*, ce n'était pas mon monde. J'étais beaucoup plus « gauche *Jeux de 20 heures* » que « gauche *Télérama* ». J'avais le sentiment – et ce n'était pas qu'un sentiment – de ne pas avoir la culture nécessaire. C'est à ce moment-là qu'on regrette de ne pas avoir fait d'études littéraires et où on se dit que l'abonnement à *France Loisirs* n'était pas fait que pour gagner un service à raclette ou un réveil digital en cas de parrainage. Par bonheur, je suis une éponge. Pas au sens alcoolique du terme, heureusement, mais j'absorbe !

J'ai aussi eu la chance que l'émission dans laquelle j'ai fait mes débuts sur cette grille d'été 1990 soit réalisée par Jean-François Remonté, une encyclopédie vivante de la radio. C'est dans un programme présenté par la piquante Mady Tran qu'on m'avait installé pour une rubrique quotidienne. Je cohabitais sur l'antenne avec Alexandre Pottier, un chroniqueur tout auréolé de son rôle de Syntaxerror dans la fiction *Objectif Nul*, auprès d'Alain Chabat, Bruno Carette et Chantal Lauby. Moi, je bossais au Caveau de la République, avec Pierre Douglas, et je venais de chez Amadou. Je reconnais que j'étais loin de l'esprit « Canal ». Ça faisait un peu moins « fun ». Alexandre Pottier n'était pas antipathique et moi non plus, je crois, mais j'éprouvais à nouveau un sentiment d'infériorité et – c'est comme ça – nous étions en concurrence : lequel garderait-on à la rentrée ?

Pierre Bouteiller et Nicole Rossi avaient déjà leur petite idée. En septembre 1990, Claude Villers allait démarrer une nouvelle case satirique quotidienne,

*Le Vrai-Faux Journal*, et c'était là qu'on allait vraiment m'entendre.

Je savais qui était Claude Villers, mais je n'avais jamais été un auditeur assidu de ce qui fut son plus gros succès radio : *Le Tribunal des flagrants délires*. Et pour cause, entre 1981 et 1983, j'étais étudiant et l'émission passait pendant les heures de cours. Sans faire injure à Claude Villers, qui lira sûrement ce livre, *Le Tribunal* reste surtout célèbre aujourd'hui grâce aux géniales plaidoiries de Luis Régo, « l'avocat le plus bas d'Inter », et de Pierre Desproges, le « procureur de la République Desproges française ».

À la fin des années 1980, Villers tenta de relancer un succédané intitulé *Bienvenue au paradis*, mais, sans Desproges, ce n'était plus la même chose.

Me voilà donc propulsé dans *Le Vrai-Faux Journal*. C'est là que je rencontrai Isabelle Motrot. Elle et moi appartenions à cette équipe de « vrais faux journalistes » réunis dès 6 heures du matin pour écrire des papiers drôles sur l'actualité du jour. Une fois de plus !

Je me souviens que Villers, échaudé par l'ombre que lui avait fait Desproges, nous proposa de signer chacune de nos interventions par des pseudonymes rigolos. Pas fou, j'avais mené une minifronde en expliquant à mes camarades, Isabelle Motrot, Laurent Tastet et Virginie Lemoine, que nous devions refuser et apparaître sous notre vrai nom, si nous voulions nous en faire un !

Passer de Jean Amadou à Claude Villers, c'était le grand écart. Ça s'appelle l'écriture de droite à gauche ! Villers relisait tous nos papiers avant le direct à l'antenne. Il biffait, corrigeait, ne voulait rien en dessous de la ceinture ; pas d'attaques gratuites. C'était une dure école, mais c'était formateur. D'autant que nous étions nombreux et qu'il y avait plus de textes rédigés que de temps d'antenne. Chaque fin de matinée, il triait et choisissait qui passerait devant le micro. Pendant que Villers jouait les père Fouettard, la réalisatrice, Monique Desbarbat, nous maternait.

Une fois de plus, je « livrais » beaucoup. Deux, trois papiers d'actu pendant que les autres en écrivaient un. Sur trois propositions, j'étais sûr qu'au moins une serait prise. Quand on n'est pas totalement convaincu de son talent, il vaut mieux compter sur les probabilités. Certains ont cette technique pour la drague, moi, c'était pour mes textes.

Je n'avais pas voulu avoir, comme mon père, les doigts noircis par un travail sur un chantier naval ; je les avais finalement par les journaux sur lesquels on avait posé l'encre !

Je n'imagine pas le nombre de *Parisien, Libé, Figaro, France-Soir, L'Équipe, L'Huma, La Croix* que j'ai pu éplucher pour rebondir sur l'actualité. Je n'ai pas cessé.

Aujourd'hui encore, je préfère chaque matin faire ce travail moi-même. Je lis plus vite, aussi. En plus de vingt ans d'expérience, mon œil a appris à repérer la petite info qui va grossir, le manque d'objectivité d'un article, l'erreur d'un journaliste, l'absurdité d'une déclaration. J'en ai lu et vu !

Toujours savoir avant les autres ! C'était devenu comme une addiction. D'ailleurs, c'est en préparant *Le Vrai-Faux Journal*, au tout début de septembre 1990, que je suis tombé sur un article de *France-Soir* décisif dans mon parcours audiovisuel : Jacques Martin annonçait qu'il voulait reprendre, chaque dimanche après-midi, une émission satirique dans la lignée de ses célèbres *Petit Rapporteur* et *Lorgnette*.

Devinez ce que j'ai fait ? Bah oui, j'ai décidé d'adresser textes et CV, toujours par courrier, au 41, avenue de Wagram. Après tout, ça avait marché pour Jacques Mailhot et Pierre Bouteiller, pourquoi pas pour le maître du Théâtre de l'Empire ?

Je sais que c'est difficile à croire, mais ma bouteille à la mire arriva jusque dans les mains de Jacques Martin. Le facteur chance fit une nouvelle fois très bien son travail. Un jour, au moins, il faudra que je vote Besancenot !

C'est Josette Raimbault, la fidèle assistante de maître Jacques, qui laissa un message sur mon répondeur. Le téléphone portable n'était pas inventé. J'ai eu la bonne nouvelle le soir, en rentrant à la maison : j'avais rendez-vous le mardi qui suivait au Théâtre de l'Empire avec le maître des lieux. Je me vois encore entrant dans son bureau où trônait, sur un chevalet, un immense portrait de l'acteur Gérard Philippe (je suis obligé de préciser acteur pour les plus jeunes qui me lisent). Ça s'est passé exactement comme ça :

CLUB RTL

Votre n° d'adhérent : 200712156

MR LAURENT RUQUIER

Valable 1 an à partir du : 26 FEV. 1982

1

2

1. Même pas 20 ans et j'ai l'air d'en avoir 60 !

2. Mes débuts au Havre pour Radio Force 7. Le moche au fond, c'est moi !

Animateur au Havre, je recevais Serge Pénard, l'illustre réalisateur de *Tendrement vache*. On m'avait permanenté !

Au Havre, sur Radio Force 7, *Les Bonnes Têtes* avec Richard L'Hôte, Zaza Blonders et Philippe Prieur.

(1)

A la rencontre d'un métier : aujourd'hui, boucher

x Monsieur Auriol, bonjour vous êtes boucher ?
- hum, hum, hum

x Je dis, M^R Auriol, vous êtes boucher
- hum, hum, hum

x vous êtes bien boucher ?
- hum, hum, hum

x vous êtes BOUCHER ?
- Ah, oui complètement ! j'ai mon magasin 25 rue du Commerce...

x bien, nous vous remercions d'être venu dans nos studios
- de rien, de rien ; c'est moi qui suis ravi de pouvoir venir tailler une bavette avec vous.

x Y-a-t-il longtemps que vous êtes boucher ? oh oui ; depuis que je suis dans la profession, c.à.d depuis que je me suis installé 25 rue du Commerce au Havre...

x Pourquoi avez vous choisi ce métier ? Bah ! y avait beaucoup de débouchés, c'est vrai la clientèle est nombreuse, surtout dans ma boutique ; la boucherie AURIOL, 25 rue du Com...

x c'est un métier difficile ? oh la vache, oui ! on travaille sans filet, faut pas croire que tout vous arrive tout cuit...

x et votre vie familiale ? vous êtes marié ?
oui, avec ma femme - Une femme adorable, je l'ai épousé parce qu'elle était d'une grande tendresse malgré que ce soit un boudin ; d'ailleurs je vis avec elle au 25 rue du Commerce... et toi ta femme ?

x je vois qu'il y a des risques dans le métier : il vous manque des doigts... Ah Ah Ah.. non ! ça c'est ma femme. Elle me coupe les doigts pour faire des saucisses de cokctail, quand on a des invités...

x et financièrement, avez vous eu les moyens de partir en vacances cet été ? Ah non, les années précédentes, on allait sur la côte ou dans un port, mais cette année nous sommes restés au 25 rue du commerce...

x Et bien merci, ~~à demain~~, pour la découverte d'un autre métier... vendredi

(2)

A la rencontre d'un métier : aujourd'hui croque-mort

- M^R Lenoir, vous êtes croque-mort ?
Eh bien oui, ça ne se voit pas ?

- Vous avez fini votre journée de travail !
Ah, oui... une de morte !

- Pourquoi avez vous choisi ce métier ! parceque la clientèle ne se plaint jamais, elle ne revient jamais. c'est un métier tranquille

- C'est fatiguant non ? oh ! oui, vous savez, travailler autour de tant de gens qui se reposent...

- On dit que souvent les croque-morts sont des gens tristes, mais vous vous avez beaucoup d'humour oui, j'aime particulièrement la mise en boîte

- Voulez vous boire quelque chose ?
oui, si vous avez une bière à me proposer

- La concurrence est elle ardue dans ce métier ? oh oui, c'est une vrai jungle. c'est deuil pour deuil, deuil pour deuil.

- est-ce que votre profession a tendance à se moderniser
oh oui, on fait des réductions pour les cartes d'obsèques on a été obligé de supprimer celles pour les cartes Vermeil : on courrait à la faillite.

- l'avenir, pour vous ? vous savez c'est difficile de faire son trou, mais j'espère plus tard avoir une situation assise

- C'est à dire ? travailler au père Lachaise

- Au revoir à une prochaine !
- au plaisir...

Mes premiers textes, reposant uniquement sur des jeux de mots.

1

2

1. *Les Bonnes Têtes* au Havre avec le footballeur Philippe Prieur et la chanteuse Chris Mayne.

2. Avec Émile Chapelle, conteur cauchois, pour Radio Force 7.

Ci-contre : une super pause à l'entrée du Caveau. © Erik Levilly

CAVEAU DE
REPUBLIQU

1

2

1. Avec le regretté Alain Gillot-Pétré.

2. Au Caveau avec Jacques Ramade, Dadzu et Gaby Verlor qui, hélas, y sont vraiment maintenant.

Dans mon milieu naturel.

La preuve que Maryse Gildas m'a violé en 1989.

Avec Maryse Gildas et Jean Amadou.

1

2

1. L'École alsacienne façon Jacques Martin, avec Jacques Ramade.

2. *Rien à cirer*, France Inter. © Philippe Rochut, Radio France

Ci-contre : à l'assaut de l'Olympia pour changer les lettres de SARDOU en RIEN À CIRER. © Roger Picard, Radio France

ARDOU
R
OCATION
JOURS de 10 h. à 19 h.
HE DE 11 H. A 19 H.

« Entre, mon grand ! Viens, prends ce fauteuil ! J'ai besoin de toi ! Oui, c'est de toi dont j'ai besoin.

– Vraiment ?

– Ils sont drôles, tes textes, tu sais.

– Merci, monsieur.

– Appelle-moi Jacques, on va travailler ensemble.

– Très bien, monsieur.

– Tu as écrit pour Jean Amadou et maintenant tu fais ça pour Claude Villers ? Il est méchant, lui !

– Euh, non, ça se passe bien !

– Maintenant, tu vas écrire pour moi. L'émission va s'appeler *Ainsi font, font, font*, comme les marionnettes. Je vais l'animer avec Guy Montagné.

– Je veux bien écrire pour vous, mais je viens de quitter Europe 1 et Jean Amadou parce que je ne voulais plus être "nègre". Si je pouvais juste avoir deux ou trois minutes pour moi... »

Je n'en reviens pas encore de m'entendre prononcer cette dernière phrase. J'étais pour la première fois de ma vie face à l'homme qui m'avait fait chanter « La pêche aux moules » et « Je frappe au n° 1, je d'mande mam'zelle Angèle », face à celui qui a fait les plus brillantes improvisations aux *Grosses Têtes* et je lui annonçais mes exigences !... Qu'il accepta !

Ma surprise fut plus grande encore lors de la première de *Ainsi font, font, font*, enregistrement qui ne fut jamais diffusé. J'étais dans un coin du plateau, derrière un pupitre, et j'avais trois minutes pour faire rire avec différentes brèves sur l'actualité. J'allais plutôt « assurer », aidé par l'aventure rocambolesque de Patrick Poivre d'Arvor, qui avait ramené d'Irak un bébé caché dans son sac ! En revanche, pour ce qui était du duo Jacques Martin-Guy Montagné, ça ne fonctionnait pas, mais alors pas du tout, du tout. Par chance, contrairement au jeu du début d'après-midi *Le monde est à vous* et à *L'École des fans*, cette partie, *Ainsi font...*, ne se déroulait pas en public.

Ce jour-là, j'appris qu'on pouvait avoir trente ans de métier, être un grand professionnel de la télévision et vivre une angoisse au plus haut point à l'idée de démarrer une nouvelle émission. Martin n'arrivait pas à être drôle. Le roi de l'impro n'arrivait pas à dire des textes écrits à l'avance. Il doutait trop. On aurait plongé sa chemise dans une bassine d'eau pendant cinq minutes qu'elle n'aurait pas été plus trempée. Je n'en revenais pas ! Et Jacques de s'énerver contre Guy Montagné, qui, pour tenter de sauver les meubles, faisait le pitre en jouant avec une escalope sur son crâne chauve. L'escalope de la séquence cuisine ! C'en était trop pour le gastronome Martin, qui n'aimait pas qu'on joue avec la nourriture... Surtout quand ce n'était pas lui qui le faisait ! Je n'en menais pas large, blotti dans mon coin, à observer le désastre.

Le lendemain soir, Jacques Martin m'appelait lui-même et m'expliquait en gros : « C'est n'importe quoi ce qu'il m'a fait, l'autre con ! On ne va pas la diffuser, cette émission. On va décaler la première d'une semaine et tu sais quoi ? On va la faire tous les deux ! »

Je n'ai jamais su quelles explications avaient été données à Guy Montagné, mais j'imagine qu'il n'a pas dû me porter dans son cœur pendant longtemps. J'avais pris sa place !

Sans que j'y sois pour grand-chose, les portes de l'empire m'étaient ouvertes.

Pendant cette saison 1990-1991, je passais donc de Claude Villers le matin à Jacques Martin l'après-midi, et toujours les cabarets, Caveau de la République et Don Camilo le soir. J'étais dans trois écoles à la fois.

Sur France Inter, Claude Villers me surveillait du coin de l'œil, n'appréciant qu'à moitié que j'obtienne des papiers dans la presse grâce à *Ainsi font, font, font*. Qui dit Jacques Martin dit presse TV, je n'y pouvais rien. J'avais proposé à Jacques Ramade et à Virginie Lemoine de me rejoindre dans l'équipe de l'empire Martin. Je vois encore Virginie, dans le bureau de Jacques, interpréter « Le chat qui pète » face au portrait de Gérard Philippe. Ça avait achevé de le convaincre. Pour cette émission du dimanche, Jacques nous aura costumés en tout : Alsacienne, plongeur sous-marin, danseuse du Moulin-Rouge, mousquetaire, torero... Il ne fallait pas avoir peur du ridicule. « Mais c'est ça, le métier, mon grand ! » On avait beau chaque mardi après-midi lui proposer des dizaines de textes, Jacques préférait attraper un costume au dernier moment et improviser.

Les tournages étaient épiques. Les réunions de travail ne l'étaient pas moins. Nous avions face à nous un homme malheureux et il fallait faire avec ses humeurs. Le roi de l'avenue de Wagram sortait du divorce d'avec Cécilia et, de temps en temps, Danièle

Évenou, ex-femme précédente, faisait des apparitions dignes des meilleurs vaudevilles. « Je fournis les ministres ! » se désolait-il. Danièle s'était remariée avec Georges Fillioud et Cécilia était partie pour Nicolas Sarkozy.

À plusieurs reprises, j'avais aussi proposé à Jacques Martin d'engager parmi nous un imitateur. Au Don Camilo, un garçon qui s'appelait Pascal François, et qui allait vite devenir Pascal Brunner, faisait un tabac. Jeune et beau, il avait un talent vocal incroyable et j'avais réussi à convaincre Claude Villers de l'utiliser pour assurer les imitations politiques du *Vrai-Faux Journal*. Jacques Martin, lui, ne voulait pas en entendre parler. « Mais regarde, on n'a pas besoin d'imitateur, je fais très bien Brassens et aussi Trenet... » Et Jacques de se lancer dans son tour d'imitations de ses années de fantaisiste à Bobino ou à l'Olympia. Ses imitations étaient meilleures que les miennes quand je fais Bourvil ou Giscard (ce n'était pas difficile !), mais tout de même moins professionnelles que ce que pouvait faire Pascal Brunner, ou bien sûr Laurent Gerra, qui n'était pas encore arrivé à Paris.

Nous sommes en juin 1991, quand Nicole Rossi, adjointe de Pierre Bouteiller, et Jean-François Remonté, conseiller occulte, m'annoncent qu'on va me confier une quotidienne pendant tout l'été, entre 11 heures et 13 heures. Un gros pari, un défi, un rêve ! Je décide tout naturellement de m'entourer de Jacques Ramade et de Pascal Brunner pour créer ce qui restera ma première émission sur France Inter : *Ferme la fenêtre pour les moustiques*. Sauf que... patatras ! Une semaine avant la grille d'été, Pascal Brunner m'annonce que Guy Lux vient de l'engager pour animer une nouvelle version d'*Intervilles* et qu'il ne pourra pas être là les jeudis et vendredis à cause des tournages en province. J'ai beau lui expliquer que l'enjeu est important pour nous, qu'une quotidienne, c'est cinq jours et pas seulement trois. Rien n'y fait et me voilà contraint de lui dire : « J'en trouverai un autre ! »

C'est mon amie et première attachée de presse, Florence Girard-Narozny, qui me signala qu'elle avait vu aux auditions en public du cabaret Le Bec Fin un jeune imitateur au talent incroyable. Il jouait encore son spectacle dans sa ville, à Lyon, et elle pouvait me procurer un enregistrement.

La première fois que je vis Laurent Gerra, ce fut donc sur une vidéo que j'ai regardée chez moi, en présence de Virginie Lemoine. Je n'imaginais pas qu'elle allait en tomber amoureuse quelques mois plus tard et j'ignorais que le garçon avait tout autant de caractère que moi. Mais quel talent ! Ses imitations de Stéphane Collaro, Guy Marchand, Jean-Paul Belmondo, Starsky et Hutch (Balutin et Francis Lax, en fait), André Lajoinie, Michel Blanc... étaient inédites.

Notre premier contact téléphonique reste encore dans ma mémoire. Il faut dire qu'il n'est pas commun et je vais tenter de vous le restituer :

« Bonjour, je m'appelle Laurent Ruquier, je ne sais pas si vous me connaissez... Je travaille avec Claude

Villers sur France Inter et le dimanche avec Jacques Martin sur France 2...

– Oui, oui, je vous connais.

– Je cherche un imitateur pour cet été, une quotidienne radio sur Inter, avec peut-être à la clé une hebdomadaire à la rentrée... Est-ce que vous pouvez venir travailler à Paris ?

– Euh, oui, pourquoi pas... Mais est-ce que vous pourriez engager aussi mon auteur ?

– Non, hélas, je n'ai pas le budget pour ça, c'est la toute première émission qu'on me confie ; mais Jacques Ramade et moi, nous écrivons, alors, on le fera pour vous.

– Ah ? Il faut me laisser réfléchir, j'ai un spectacle à Lyon. Est-ce que vous pensez que je pourrais le jouer à Paris ?

– Je ne peux pas vous dire, mais, si vous faites de la radio, ça va aider, forcément. »

J'ai à peine raccroché que Jean Vergne, le directeur du Don Camilo, m'appelle pour me demander si je suis libre juillet-août pour passer dans son établissement, rive gauche. Je décline l'offre en lui expliquant que je joue gros cet été sur France Inter, que je préfère m'y consacrer totalement et que je reprendrais les cabarets à la rentrée. J'ajoute : « En revanche, je viens de repérer un imitateur incroyable, il cherche à faire de la scène sur Paris. Tu serais d'accord pour l'auditionner ? »

Heureux de cette offre supplémentaire, je rappelle Laurent Gerra.

« Alors voilà, je vous propose deux heures quotidiennes sur France Inter et la possibilité de faire le Don Camilo tous les soirs. Il vous suffit d'auditionner. Ils cherchent quelqu'un. Je ne doute pas que ça va marcher.

– Combien de temps je vais pouvoir faire ?

– Vingt, vingt-cinq minutes, c'est ce qu'on fait à peu près tous quand on se succède sur scène.

– Ah oui, mais moi, je fais une heure.

– Je sais bien, mais là, c'est vingt-cinq minutes ; c'est comme ça, dans les cabarets.

– Non, mais moi, je fais une heure. »

On aurait pu croire qu'il imitait Régis Laspalès et que j'étais au guichet SNCF en train de demander un billet de train pour Pau ! Je bouillais et j'ai fini par raccrocher en lui assénant que c'était tant pis pour lui ! Peut-être même que je l'ai traité de « con », mais ce fut sans conséquence puisque nous allions nous retrouver quelques mois plus tard.

*Ferme la fenêtre pour les moustiques* fut une réussite radiophonique estivale (avec Jacques Ramade et finalement Pascal Brunner, qui intervenait par téléphone le vendredi), au point qu'en septembre 1991 on me confiait la prestigieuse tranche dominicale dont *L'Oreille en coin* avait fait les belles heures. Pierre Bouteiller avait supprimé l'émission qu'il jugeait démodée la saison précédente. Entre-temps, c'était José Artur, André Lamy et William Leymergie qui avaient assuré la succession, sans succès. Ce fut notre chance. Il est toujours compliqué de succéder à une émission culte. Une saison tampon, c'est toujours mieux.

Le but était donc de réussir un programme satirique de deux heures, en direct et en public, en rajeunissant le style des chansonniers qui nous avaient précédés.

Avec Jean-François Remonté, réalisateur de tout premier conseil, nous décidâmes alors de compléter le trio existant par une présence féminine affûtée et un cinquième larron, que nous souhaitions le plus insolent qui soit. Les femmes comiques alliant à la fois le talent de comédienne et d'auteur sont rares : c'est très vite que mon choix se porta sur Anne Roumanoff ; la jeune femme en rouge à l'accent de « Bernadette » avait déjà attiré mon attention. Pour le cinquième larron, l'idée de faire appel à Patrick Font, ex-parolier de Thierry Le Luron et acolyte iconoclaste de Philippe Val, paraissait à la fois enthousiasmante et risquée. Ce fut le cas !

Dès la première, le 8 septembre 1991, nous tenions un succès. Le titre, *Rien à cirer*, nous avait été involontairement soufflé par Édith Cresson, fraîchement nommée Premier ministre. En juin 1991, elle avait relancé cette formule en déclarant : « La Bourse, j'en ai rien à cirer. » Cette gaffe lui fit aussitôt perdre quelques points dans les sondages et nous a sûrement permis d'en gagner. Nous avions choisi cette expression d'un commun accord : seul contre toute l'équipe ! C'était quand même mieux que *Par ici les orties, Dimanche et la Belle, Les moustiques sont toujours là* ou même *Les Joyeux Berlingots*, pour lesquels militait ma copine Anne Roumanoff.

Je ne vais pas revenir ici en détail sur les quatre années de *Rien à cirer*, énorme succès dominical d'abord, puis tous les midis, dès la deuxième saison. Deux ouvrages lui ont déjà été consacrés. Pour vous en rappeler le ton, voici juste deux textes que j'avais écrits à l'époque. Le premier est un portrait. Nous recevions ce jour-là le footballeur Éric Cantona. Face à lui, fallait y aller.

« Éric Cantona, nous aurions préféré vous recevoir au lendemain d'une victoire, hélas, hier, contre le PSG, votre équipe a eu du mal à entrer dans le match, surtout pendant les quatre-vingt-dix premières minutes de jeu... Contre le club de Canal Plus, on avait la nette impression que vous n'aviez pas reçu le code du mois d'octobre. Joël Bats, le goal parisien et poète, a vu si peu de pieds dans sa surface de réparation que ce n'est pas sûr qu'il arrive à en faire un alexandrin.

Pourtant, Éric Cantona, vous êtes un joueur hors du commun, reconnaissable entre vingt-deux sur un terrain : le buste très droit, les gestes d'une rare pureté, vous êtes l'élégance même. Bref, à côté de vous, Nadine de Rothschild a l'air d'un rugbyman.

Éric Cantona, vous êtes sorti du centre de formation d'Auxerre, contrairement à Jean-Pierre Soisson, le maire de cette ville, qui, lui, n'arrive pas à se sortir de la formation du centre.

Ce qui fait que vous n'êtes décidément pas comme les autres, c'est que vous peignez. Oui, vous peignez et, la première fois que vous avez dit ça à un journaliste, il a dû vous répondre : "Ah oui, et quand est-ce que vous posez la moquette ?"

Non, vous peignez vraiment. Certains footballeurs exposent leurs chaussures crottées dans des galeries de pointure, vous, vous êtes plutôt pour le vernissage, et même, d'après les différentes affaires qui ont émaillé l'arrière-plan de votre carrière, vous êtes doué pour les accrochages. Bref, vous êtes aussi connu pour vos frasques que pour vos fresques.

Revenons au football. Alors que Bernard Tapie vous avait acheté vingt millions de francs à Auxerre, vous déclarez, je cite : "Le fric ne me fait pas jouir. Quand je marque un but, quand mon équipe gagne, là, ça me fait jouir !" Est-ce que c'est ça qu'on appelle les érections Cantonales ?

Éric Cantona, vous avez un avantage sur les autres, vous savez parler. Prenons un exemple : il paraît que le week-end dernier, à la sortie de l'hôpital, un journaliste a demandé à Jean-Pierre Papin : "Souffrez-vous de problèmes oculaires ?" Et il a répondu : "Non, c'est aux yeux que j'ai mal." Vous, ce n'est pas votre genre. Quand Goethals, votre entraîneur belge, venait vous voir pour vous dire : "Comme d'habitude, tu vas jouer avant", vous ne lui répondiez pas : "Bah, je préférerais jouer en même temps que les autres !"

Éric Cantona, comme vous savez réfléchir, vous pensez forcément à l'après-football. Peut-être une carrière de comédien. Mais je vous en supplie, pas chanteur ! On a déjà eu Jean-Pierre François, l'inoubliable créateur de "Je te survivrai, je te survivrai" et voyez, il n'a pas tenu parole.

Pour l'instant, vous êtes pendant une heure l'invité de *Rien à cirer* et, si nous vous avons choisi, c'est parce que avec vos goûts divers : football, poésie, peinture, cinéma... le moins qu'on puisse dire, c'est que chez Canto, y a tout ce qu'il faut. »

Le deuxième texte que j'ai retrouvé en préparant ce livre date de 1992 et porte sur la transparence des revenus, et j'aurais pu quasiment écrire le même vingt et un ans plus tard, au moment de l'affaire Cahuzac :

« Le président Mitterrand a annoncé cette semaine le prochain dépôt d'un projet de loi soumettant tous les parlementaires à la publicité de leur situation et de leur fortune.

Pourtant, les politiques sont très propres sur eux ; la preuve, ils changent d'« affaires » tous les jours ! Les députés et les sénateurs ne sont pas plus malhonnêtes que les sénateurs et les députés... Pourquoi leur réclamer d'étaler leurs richesses au grand jour ? Ils sont déjà transparents, tellement transparents qu'on les voit à peine sur les bancs de l'Assemblée nationale ou du palais du Luxembourg... Sauf quand il y a des caméras.

La transparence, après tout, pourquoi pas ? Il est temps que nos ministres dont on sait hélas tout ce qu'ils n'ont pas nous montrent enfin ce qu'ils ont !

On a voté pour eux pour qu'ils gagnent, alors, maintenant, ils peuvent au moins nous dire combien !

Je suis d'ailleurs certain que, dans la liste de leur fortune personnelle, députés ou sénateurs pourraient mettre le nom des électeurs qui leur ont apporté leurs suffrages. Je sais même dans quelle catégorie de leur patrimoine nous rentrons : bien possédés ! »

En cette fin d'année 1991, je jonglais entre *Rien à cirer*, le dimanche, *Le Vrai-Faux Journal*, dans la semaine, sur France Inter, et l'émission de Jacques Martin sur France 2. Sans compter que j'avais repris les cabarets. Un soir, alors que j'arrivais au Don Camilo, à peine sorti de scène du Caveau de la République, devinez sur qui je tombe ? Laurent Gerra, qui descendait les marches du « Don Ca » alors que je les montais pour passer en seconde partie. Je n'eus pas la perfidie de lui demander : « Vous avez fait vingt-cinq minutes ou une heure ? » Mais il eut l'intelligence de *méaculper* : « Excusez-moi, j'ai été bête, la dernière fois. »

Qu'à cela ne tienne, Pascal Brunner était de plus en plus demandé comme animateur à la télévision et j'allais avoir besoin très vite de quelqu'un pour lui succéder. Gerra avait trop de talent pour que qui que ce soit passe à côté.

Dès le premier *Rien à cirer* TV, commandé par Sabine Mignot pour Pâques 1992, il rejoignit notre équipe et parodia Patrick Sabatier, une de ses imitations fétiches du moment. Très vite, il contribua au succès de la quotidienne de *Rien à cirer* pendant au moins deux saisons. Outre les textes sur l'actualité, mes meilleurs souvenirs resteront les canulars téléphoniques que nous avons commis ensemble : ses imitations de Jack Lang, Stéphane Collaro ou Régis Laspalès étaient si parfaites que nous avons piégé de nombreuses personnalités. France Inter a une mine d'or dans ses archives.

Au printemps 1993, produits par Gilbert Rozon et sous l'œil de Catherine Barma, Laurent Gerra et Virginie Lemoine faisaient déjà leur *Zapactu* dans la quotidienne TV de *Rien à cirer*, sur France 2. C'était juste avant que Laurent soit repéré un dimanche sur Inter par Michel Drucker, qui, avec honnêteté, me le rappelle toujours. La vérité, aussi, c'est que c'est grâce à *Studio Gabriel* que Gerra est devenu une énorme vedette.

Il ne me doit rien et je ne lui dois rien, mais je m'amuse à l'idée que nous nous retrouvions à RTL, vingt ans plus tard.

Tout ce que je retiens de nos débuts, c'est qu'à la fin de ses premiers *Rien à cirer* certains spectateurs du Studio 105 venaient me voir pour me dire : « On préférait Pascal Brunner, quand il fait Johnny, votre nouveau, là, on ne reconnaît pas sa voix ! » Pascal Brunner avait gagné la sympathie du public en une saison et il fallait laisser le temps à Laurent Gerra d'imposer son imitation parfaite de la voix de Hallyday. Avant lui, nous n'avions que des imitations d'imitations précédentes. On nous répète souvent que le public a toujours raison : c'est faux. Il faut savoir lui apprendre à être patient et lui imposer ce qui est nouveau.

Il faut parfois apprendre au public à aimer. Dans nos métiers, être têtu est souvent une qualité.

Mes aventures télé (Jacques Martin, les cinq jours des *Niouzes*, *Tout le monde en parle*, auprès de Thierry Ardisson, *Un an de plus*, avec Marc-Olivier Fogiel, *On a tout essayé*, pendant huit saisons, *On n'est pas couché*, *On n'demande qu'à en rire*, sans oublier l'échec récent de *L'Émission pour tous*) pourraient faire l'objet d'une collection de souvenirs en dix tomes, tant j'ai croisé de monde pendant toutes ces années, mais, comme vous l'aurez compris, j'ai décidé d'appeler ce livre *Radiographie* pour me raconter plus précisément à travers mes pérégrinations d'Europe 1 à RTL, en passant par France Inter.

Il va de soi que les aventures TV, des plus longues jusqu'aux plus courtes, ont souvent une influence décisive sur les activités radio. Jamais au point que l'idée d'abandonner totalement le micro m'ait effleuré. Bien m'en a pris.

À la rentrée 1995, afin de pouvoir animer chaque soir en direct *Les Niouzes* sur TF1, j'avais décidé d'arrêter *Rien à cirer*, qui, pendant quatre saisons, aura permis de révéler à l'antenne : Sophie Forte, Laurent Gerra, Virginie Lemoine, Serge Riaboukine, Didier Porte, Jean-Jacques Vanier, Laurence Boccolini, Christophe Alévêque...

Pierre Bouteiller avait gentiment accepté de me confier la tranche 9 h 15-10 heures, pour ce qui allait s'appeler *Les Petits Déj'*. Cet horaire devait me permettre, dès 10 heures, de me consacrer à la quotidienne de TF1. Tout ce changement pour *Les Niouzes*, qui durèrent cinq jours !

Étienne Mougeotte nous avait fait commencer le lundi 28 août, si bien que le jour de la première des *Petits Déj'*, le lundi 3 septembre, *Les Niouzes* étaient déjà remplacées par *Alerte à Malibu* !

Pour citer Woody Allen : « Les ennuis, c'est comme le papier-toilette, tu en tires un, il y en a dix qui viennent. » La période fut donc très difficile. Deux bottins entiers de critiques sur ma pomme. Je payais cher mon passage de France Inter à TF1. Dans ces cas-là, vous devenez une cible facile, quoi que vous fassiez. Même à la radio.

Le principe des *Petits Déj'* était simple. Toujours avec Jean-François Remonté derrière la vitre et l'indispensable Jacques Sanchez pour la programmation, j'invitais chaque matin quatre ou cinq artistes et personnalités de la société civile à commenter l'actualité : Jean-Claude Carrière, Philippe Geluck, Maurice Rheims, Jean-Marie Gourio, Florent Pagny, Geneviève Dormann, Jean-Edern Hallier, Gérard Miller, Claude Sarraute, Alphonse Boudard, Françoise Xenakis...

Au bout d'une semaine, une journaliste du *Monde*, Dorothée Tromparent, décida d'attaquer ce nouveau concept. Selon elle, seuls des vrais journalistes étaient en droit de commenter l'actualité. On ne devait pas donner la parole à des personnalités dont ce n'était pas le métier. Depuis, on ne fait que ça ! J'avais manifestement de l'avance sur elle. De Twitter jusqu'aux *Grandes Gueules*, sur RMC, aujourd'hui, tout le monde commente tout le monde et pas toujours avec le talent de Jean-Edern Hallier ou de Maurice Rheims...

Sauf qu'un papier dans *Le Monde*, c'est un papier dans *Le Monde*, surtout un mauvais papier. Pierre Bouteiller me convoqua et me demanda de me ressaisir, de faire attention à qui je donnais le micro.

L'échec de TF1 était allé jusqu'à faire vaciller la confiance que m'accordait celui grâce à qui je devais ma carrière à France Inter.

Heureusement pour moi, les premières audiences de novembre 1995 furent excellentes (une chance, Médiamétrie radio n'existe pas au jour le jour ; il faut minimum deux mois avant d'avoir des premiers résultats). Qui plus est, les audiences de la tranche 11 heures-13 heures, que j'avais quittée, s'écroulaient depuis mon départ.

Pragmatique, notre nouveau directeur, Patrice Duhamel, me demanda de réintégrer dès janvier la tranche horaire du midi et *Les Petits Déj'* devinrent *Les Déj'*, puis *Changement de direction*, enfin *Dans tous les sens*, jusqu'en 1999. De gros succès.

C'est aussi pendant cette décennie que j'ai définitivement quitté le Caveau de la République et les autres cabarets pour me lancer dans le one-man-show. En 1993, Philippe Vaillant (le mari d'Anne

Roumanoff) produisit mon premier spectacle au Point Virgule. La particularité en était qu'il démarrait à 20 heures pile et que je commentais le JT de TF1 en direct. C'était casse-gueule, mais très efficace. Le 1er mai 1993, ce fut moins drôle. Quand Claire Chazal annonça que le Premier ministre Pierre Bérégovoy s'était suicidé, dans la salle personne ne le crut ; j'avais beau expliquer, le public riait, pensant que c'était une blague ! C'était en tout cas un exercice passionnant qu'à ma connaissance personne n'a retenté depuis. Mes spectacles suivants, au Grévin, en tournée, au Casino de Paris, puis au Théâtre de Paris furent produits par Gilbert Rozon. Une rencontre importante dans ma carrière et surtout dans ma vie.

Il serait trop long d'expliquer ici l'indéfectible amitié qui me lie à Gilbert Rozon. Il n'est pourtant plus mon producteur. Il reste un modèle. Gilbert est maintenant connu chez nous parce qu'il fait un malheur dans le jury d'*Incroyable talent*, mais il a d'abord fait mon bonheur comme un « incroyable producteur ». Il est fou, extravagant, généreux, drôle, intelligent, infernal, il m'a fait signer des contrats léonins, il a déchiré les mêmes contrats devant moi, il m'a fait voyager, découvrir les comédies musicales, m'a prêté son appartement avenue Foch quand j'allais mal, m'a fait aimer New York, Montréal, je l'ai vu distribuer des billets de banque en décapotable, il m'a fait prendre en une seule soirée les seules drogues que j'ai jamais prises dans ma vie, il m'en a ainsi dégoûté pour toujours, il m'a appris à extérioriser mes sentiments, m'a fait comprendre la vie, il m'a cultivé, décomplexé, m'a menti, m'a ri au nez, m'a fait lire, a cru en moi, produit mes premières émissions TV, mes premières pièces de théâtre, m'a fait faire du sport, déculpabilisé d'aimer le luxe, déculpabilisé d'aimer le sexe, m'a fait rire, m'envoler, tomber, comprendre la vie. Et en plus, il m'a fait rencontrer Renaud, mon agent Gilles Petit et mon bras droit Sophie Hazebroucq. Tout ça alors qu'en plus il est hétérosexuel !

Mes années « France Inter » m'ont permis de lier des amitiés fortes et qui perdurent : de Claude Sarraute à Gérard Miller en passant par Isabelle Mergault, Christine Bravo, Philippe Geluck, Jean-Pierre Coffe, Valérie Mairesse, Isabelle Alonso et Guy Carlier, ceux que les journalistes ont assez vite appelés « la bande à Ruquier ».

C'est aussi grâce à la radio que j'ai rencontré celle pour qui j'ai une admiration sans borne et qui, au-delà de l'incroyable chanteuse et extraordinaire comédienne qu'elle reste, est devenue une de mes amies proches.

C'est Jacques Sanchez qui, connaissant mes goûts mieux que quiconque, programma Marie Laforêt dans *Rien à cirer*. On est parfois déçu par les personnalités qu'on rencontre, alors qu'on les admirait. Marie ne m'a jamais déçu. Elle est aussi belle que je l'avais imaginé, aussi vive, drôle et parfois inattendue que je pouvais l'espérer. Je ne vous parle pas de la couleur de ses yeux, parce que, d'abord, ça l'agace et qu'aujourd'hui je l'aime même avec des lunettes noires.

Notre amitié n'est pas née tout de suite. Marie a bien senti que j'étais fou d'admiration à travers le portrait que je lui avais écrit. J'aurais été incapable de prononcer tous ces compliments autrement que devant le public du Studio 105. À la fin de notre show satirique, comme d'habitude, je n'ai pas osé échanger plus de trois mots avec elle. C'est toujours le cas avec mes invités. Je ne veux pas les importuner. Sauf si c'est pour l'antenne ! J'ai dû aller applaudir Marie Laforêt deux ou trois fois dans *Master Class*, pièce où elle incarnait Maria Callas. Au Théâtre Antoine ou à l'Opéra-Comique, elle était époustouflante.

Quelques années plus tard, en 2003, Isabelle Mergault triomphait dans *La presse est unanime*, ma première pièce jouée au Théâtre des Variétés, quand elle m'annonça qu'elle ne pouvait pas prolonger pour des raisons de santé. J'eus alors une idée folle : appeler la femme aux yeux d'or pour qu'elle reprenne le rôle.

Je savais que Marie Laforêt aurait l'abattage, le sens de la rupture et la présence nécessaires. Elle a accepté en trois minutes au téléphone et elle fut extraordinaire. Celle qui avait joué aux côtés de Delon, Belmondo ou Piccoli a joué pour moi aux côtés de Steevy, Jean-François Dérec et Isabelle Alonso. Je n'en revenais pas !

En 2006, toujours pour moi – et j'espère aussi un peu pour elle –, elle a accepté de remonter sur scène pour interpréter ses chansons. Elle ne l'avait pas fait depuis plus de trente ans. Je me faisais plaisir, mais je savais que je ferais partager cette joie à des milliers de fans. Les deux semaines *sold out* de *Marie chante Laforêt* aux Bouffes-Parisiens l'ont confirmé. Je nous revois, Sophie Hazebroucq et moi, au fond de la salle, émus à en pleurer.

C'était le premier spectacle que nous concrétisions, avec Sophie, qui dirige ma société de production. On aurait pu prolonger plusieurs semaines, faire une tournée triomphale, sortir un CD, un DVD... Les propositions affluaient. Mais Marie a trop souffert de ce métier et aucun contrat, partenariat, tourneur, distributeur de disques n'a plus grâce à ses yeux. Il me reste notre amitié et, en souvenir, juste pour moi, l'enregistrement *live* de son spectacle, que j'écoute toujours autant. Le week-end, à la maison, quand mes amis entendent « Mes bouquets d'asphodèles », « Calor la Vida » ou « Toi mon amour, mon ami » résonner depuis le premier étage jusqu'au rez-de-chaussée, ils se disent : « Tiens, Laurent prend son bain ! » C'est devenu un classique de mon emploi du temps. Mieux, il arrive que ce soit moi qui, tendant l'oreille, perçoive la même voix, toujours intacte, qui s'exfiltre d'une salle de bains. Elle est chez moi et c'est elle qui se prépare pour le déjeuner ou le dîner. Maintenant qu'elle vit en Suisse à plein temps, nous ne nous voyons que trois ou quatre fois par an. Quand nous nous parlons au téléphone, je l'imagine là où elle vit, face au lac Léman, dans lequel le ciel, le soleil et le mont Blanc tentent désespérément de jouer de leurs meilleurs reflets pour rivaliser avec elle.

Au bout de ces neuf ans passés à Radio France, j'ai appris, lu – progressé, je crois – et attiré de plus en plus d'auditeurs sur le service public. J'ai aussi commencé – c'était inévitable – à avoir le sentiment de tourner en rond dans la maison… ronde ! L'envie d'aller voir ailleurs me taraudait. Un premier signal m'avait alerté et m'a particulièrement marqué.

C'était lors d'un déplacement à Lille, où nous devions animer *Rien à cirer* en direct du magnifique Théâtre Sébastopol. L'émission recueillait un tel succès que nous avions rempli des Zénith et fait plusieurs Olympia avec la bande d'humoristes la plus incontrôlable des années 1990. La difficulté était de convaincre un invité d'accepter de venir jusqu'en province, un dimanche matin, pour se faire charrier pendant une heure devant deux mille cinq cents personnes. Ce jour-là, devant le public du Nord, toujours aussi chaleureux, la première partie consacrée à l'actualité s'était parfaitement déroulée. C'est le chanteur Frédéric François qui avait accepté, pour sa promo, de jouer les souffre-douleur pendant la deuxième heure. Dois-je préciser que l'interprète de « Chicago », « Laisse-moi vivre ma vie » ou « Je t'aime à l'italienne » n'était pas tout à fait la tasse de thé des auditeurs de France Inter ? Je serais en dessous de la vérité. Notre public n'était pas le sien.

Trop populaire, trop « variétés », pour notre auditoire, Frédéric François est arrivé sous les lazzis des spectateurs et a eu beaucoup de mal à terminer sa première chanson. J'étais mal à l'aise. Et je n'étais pas le seul ! Je voyais mes camarades de jeux (François Pirette, Didier Porte, Chraz ou Laurence Boccolini) rayer des pans entiers des textes qu'ils avaient préparés pour se moquer de notre invité. Nous n'allions pas en rajouter au massacre. Je me sentais en porte-à-faux. Comme pris en otage par mon propre public. Mais qu'avait fait Frédéric François pour mériter ça ? Certes, il interprète des chansons aux textes un peu simplistes et aux mélodies convenues. Moi-même, je n'écoute pas du « Frédéric François » et je préfère de loin Miossec ou Benjamin Biolay, mais ma mère l'écoutait et continue encore aujourd'hui. Son public lui est fidèle et, si, en 2014, il peut toujours remplir l'Olympia pendant une semaine, c'est parce qu'il n'y a chez lui ni tricherie ni usurpation ou un quelconque mépris de son public.

Frédéric François a même une démarche bien plus honnête que certains chanteurs estampillés « de gauche » ou « près du peuple », dont on ne peut soupçonner la rouerie ou la duplicité. Ce jour-là, le public de France Inter, sociologiquement le plus à gauche de toutes les radios, conspuait un chanteur issu d'une famille de mineurs siciliens expatriés en Belgique, dont l'unique crime était de chanter des ritournelles pour ceux que la gauche est pourtant censée représenter : les gens du peuple.

Je suis revenu différent de cette délocalisation. J'avais concrètement vécu l'intolérance intellectuelle de la gauche, alors que c'est justement la tolérance et la solidarité envers les petites gens, d'où je viens, qui devraient lui servir d'étendard. Pire, j'ai eu le sentiment d'avoir triché depuis mes débuts à France Inter : afin de m'intégrer et penser ce qu'il fallait penser, je m'étais mis à dénigrer Michel Sardou pour adorer les artistes « maison », Jean-Louis Murat et Kent. J'avais une excuse : pour réaliser un grand écart, il faut savoir être souple.

Depuis cette prise de conscience lilloise, je me targue de défendre autant Annie Cordy auprès des bobos de gauche que de faire découvrir le chanteur *Télérama* Lescop aux auditeurs les moins favorisés. Quand je suis au micro, j'ai toujours ce souci permanent de penser à ceux qui ne savent pas. Quand un de mes chroniqueurs ou invités évoque Lars von Trier au micro, je précise toujours : « le réalisateur danois ». Rien ne m'énerve plus que les conversations entre initiés qui laissent certains auditeurs de côté. Après neuf ans de bons et loyaux services, il était temps que je quitte France Inter.

# 9

# 26 bis, rue François-Ier

Depuis deux saisons, je recevais des propositions d'Europe 1 pour venir animer la tranche 11 heures-13 heures. À cet horaire, j'avais installé France Inter deuxième des audiences radio, derrière RTL. Chaque fois, je déclinais l'offre. Si je revenais rue François-Ier, ce serait pour une chronique d'actualité dans le *prime time* de la radio, la tranche matinale 6 heures-9 heures.

Au printemps 1999, c'est Jérôme Bellay, plus malin que les autres, qui m'en fit la proposition. Il s'agissait de succéder à Laurent Gerra, aux côtés de Julie, à 8h45. Le directeur d'Europe 1 devait penser : « Et puis, une fois qu'il sera chez nous, on verra bien ! »

L'intérêt d'une radio à engager un animateur qui « marche » chez un concurrent, ce n'est pas seulement d'espérer qu'il va avoir autant de succès chez elle, c'est aussi de le supprimer de la grille d'en face.

Ce que j'ai vécu en 2014 en passant d'Europe 1 à RTL, je l'avais vécu en passant de France Inter à Europe 1. La même chose. La première réaction que vous entendez dans ces cas-là, c'est: «Il fait ça pour l'argent.» Je ne mentirai pas: Europe 1 avait négocié, avec mon agent Gilles Petit, une proposition financière correspondant à ce que je valais sur le «marché des animateurs», et suffisamment intéressante pour le risque que je prenais en quittant une émission en plein succès. Mais, pour moi, ce n'était pas le but de l'opération. C'est la raison pour laquelle j'en voudrai toujours à Jean-Luc Hess, directeur des programmes de France Inter. Il était allé raconter au journal *Le Monde* que j'avais joué le jeu de la surenchère et que le service public n'avait pas pu s'aligner. Bien au contraire, j'avais signé, dans le plus grand secret, le nouveau contrat de mon transfert, quand je suis allé en informer Jean-Marie Cavada, tout juste nommé président de Radio France. Il avait été d'une courtoisie exemplaire: «Je suis très triste que vous partiez, je viens à peine d'arriver! Mais je comprends qu'au bout de neuf ans dans la même radio vous ayez envie de partir. À votre place, je ferais la même chose. Sachez que la maison vous restera grande ouverte.»

Jean-Luc Hess n'a pas eu la même élégance.

Le plus éprouvé par mon départ fut Jean-François Remonté, le réalisateur avec qui j'avais fonctionné en tandem pendant ces années. Je le comprends.

J'ai moins admis sa façon de réagir : « On va faire la même chose sans lui ! » Moins fair-play encore, l'émission qui m'a succédé s'est appelée *Rien à voir* ! C'est Laurence Boccolini et Bruno Masure – chacun une heure – qui avaient accepté de reprendre le flambeau. Ça a duré trois mois. Avant que Stéphane Bern, plus adroit, rebaptise *Rien à voir* en *Fou du roi*. Mais le principe en restait le même : un invité et des chroniqueurs qui faisaient son portrait, toujours avec Richard Lornac au piano et des chanteurs en *live* !

Pas fou, Jérôme Bellay m'avait appelé dès début juillet sur le lieu de mes vacances pour m'alerter : « À Inter, ils sont en train d'essayer de recomposer votre bande sans vous ! Faut pas qu'on les laisse faire ça. Si vous n'emmenez pas vos camarades chez nous, on va tous vous les piquer. Je sais que vous ne voulez pas refaire 11 heures-13 heures, mais on n'a qu'à se positionner l'après-midi face aux *Grosses Têtes* ! »

J'étais parti pour une chronique de trois minutes le matin et voilà que je me retrouvais en plus avec une tranche d'une heure trente ! Tous mes potes (excepté Laurence Boccolini et Bruno Masure ; mal leur en a pris...) m'ont suivi : Claude Sarraute, Gérard Miller, Valérie Mairesse, Christine Bravo, Christophe Alévêque, Franck Dubosc, Maureen Dor, Philippe Alfonsi, Jean-Bernard Hebey, Alonso, Mergault, Jean-Claude Carrière, Geluck, Jean-François Dérec... Ceux avec qui nous avons aussi fait quotidiennement *On a tout essayé* de 2000 à 2007. Mais ça, ce sera dans le livre *Télégraphie*, si je l'écris un jour !

Je n'avais pas souhaité emmener les imitateurs avec moi de France Inter à Europe 1. Pardonnez-moi cette expression, mais j'en avais soupé ! Pendant neuf ans, je les ai tous vus défiler et j'ai écrit pour eux. Je voulais maintenant écrire pour moi. Entre Pascal Brunner, Dany Mauro, Frédéric Lebon, Laurent Gerra, Didier Gustin, Gérald Dahan, Jean-Éric Bielle, Patrick Adler, je ne compte pas les voix différentes auxquelles j'ai dû m'adapter pour inventer des milliers de parodies et de textes satiriques. Il aura fallu attendre 2005 pour que le goût me reprenne.

Cette année-là, Tim Newmann et Dominique Cantien m'ont appelé pour animer un *prime time* entièrement consacré aux imitateurs, essentiellement à base d'archives. Le sujet m'intéressait ; pas la forme. Je déteste ces émissions sans création, où l'on aligne des archives en dépit du bon sens, sans chronologie, analyse ou contextualisation. Les deux producteurs acceptèrent mes conditions : une vraie histoire de l'imitation en images depuis Jean Valton, Jean Raymond et Henri Tissot (les pionniers) jusqu'à Lecoq, Le Luron, Sébastien et Laurent Gerra. Sur le plateau, j'avais invité du plus ancien, Claude Véga, au plus jeune. Encore fallait-il dénicher le plus jeune.

C'est dans un programme produit par Gérard Louvin, *Les Coups d'humour*, que j'avais aperçu quelques mois auparavant un jeune imitateur de 17 ans avec des voix nouvelles. On a fait des recherches. C'était Michael Gregorio.

Après notre show TV *Nos imitateurs préférés*, Michael et son premier manager, David Hardit, ont souhaité me rencontrer et m'ont demandé si je pouvais venir le voir sur scène, dans le but éventuel de produire son premier spectacle à Paris.

Je dois avouer que ce fut un double choc : d'abord, me retrouver dans la salle du Don Camilo en tant que producteur hypothétique, alors que vingt ans plus tôt, c'était moi qui évoluais sur cette scène. Ensuite, découvrir un talent hors norme : un petit bonhomme avec un charisme de géant. Pour moi, c'était évident, c'était le Piaf de l'imitation.

En huit ans, le piaf est devenu un phénix et son succès n'a cessé de croître. Que de chemin parcouru depuis sa première salle, le Café de la Danse, à Bastille : théâtre de l'Européen, première partie de Céline Dion à Bercy, Bataclan, Trianon, Châtelet, les Zénith, un mois d'Olympia et, qui pouvait l'imaginer ?, Bercy en vedette fin 2015. C'est un plaisir constant de travailler avec Michael, le plus discret et le plus perfectionniste des artistes que je connaisse. Ce n'est ni la radio ni la télévision qui ont fait son succès, uniquement la scène et le bouche-à-oreille. J'en suis très fier.

Parmi mes nombreuses activités, celle de producteur est une des plus réjouissantes. Aider des artistes à obtenir le succès qu'ils méritent, pouvoir croire en quelqu'un comme on a cru en vous, c'est la meilleure des boucles bouclées.

Sophie, qui dirige Ruq Prod, et moi sommes gâtés. Il y a cinq ans, c'est Gaspard Proust qui a frappé à notre porte. L'animateur Gaël Leforestier m'avait téléphoné parce que son père, Hugues Leforestier, nouveau directeur du Caveau de la République, souhaitait que je réponde à une interview pour un documentaire sur les 50 ans du théâtre de chansonniers où j'avais débuté. Le tournage avait lieu sur place. Je n'avais pas remis les pieds là-bas depuis quinze ans. Puisque j'étais là, autant regarder les nouveaux talents qui étaient à l'affiche, à l'endroit même où j'avais étrenné mes guêtres, un soir de décembre 1987.

Quand je me suis installé au fond de la salle, un garçon au style improbable faisait rire le public sans aucun effort pour séduire, aucune démagogie, aucun tic d'humoriste. Il s'appuyait sur un non-jeu total et un texte provocateur tout en utilisant un vocabulaire d'érudit. J'étais conquis !

Gaspard a su que j'avais aimé, et lui, derrière lequel couraient quelques producteurs avertis, m'a choisi autant que je l'ai choisi. Quelle chance ! Gaspard, sans radio ni TV, a fait salle comble dès le départ. Après le Studio des Champs-Élysées, ce fut L'Européen, La Cigale, le Châtelet, le Théâtre Montparnasse, le Théâtre de la Madeleine, la salle Gaveau, le Théâtre du Rond-Point. Depuis, il fait le bonheur de *Salut les Terriens*, chez Thierry Ardisson. Il prépare aussi son nouveau spectacle et j'ai hâte.

Grâce à l'humoriste, comédien et metteur en scène François Rollin, je viens de découvrir un nouveau talent qui ne devrait pas faire démentir le consternant adage: « jamais deux sans trois ». Vincent Dedienne est comédien, il vient du théâtre public et son premier seul en scène m'a épaté d'intelligence, de sensibilité, de poésie et d'absurde. Lui aussi est atypique. On lui a réservé le Petit Hébertot, pour ses débuts. Il sera très vite « grosse tête » d'affiche et j'avais envie de vous faire partager ce nouvel engouement.

Sur Europe 1, notre émission de l'après-midi devait s'appeler *Ça l'fait*, mais Arthur avait déjà déposé le titre, que je remplaçai par *On va s'gêner*. Toute la difficulté, en ce début de saison 1999-2000, était d'attirer sur Europe 1 les auditeurs de France Inter, réfractaires à la publicité, tout en rivalisant avec *Les Grosses Têtes* de RTL, qui, à l'époque, faisaient dix fois plus d'audience (0,5 à 5) que nous. Le pari de Jérôme Bellay allait se révéler payant. Nos audiences montaient à chaque sondage et, au bout d'une saison, pour enfoncer le clou, je proposai à mon directeur de faire trente minutes de plus pour démarrer à 16 heures, avant que nos concurrents aient commencé. La station d'en face s'aligna, mais c'était trop tard. Au point qu'en 2002, nos chiffres en hausse et ceux de Philippe Bouvard en baisse, la direction de RTL s'affola et vira l'animateur emblématique. Personne ne pouvait s'attendre à ça ! Il n'y avait pas de quoi en arriver là. *Les Grosses Têtes* étaient encore largement devant nous ! D'un commun accord avec Bellay, nous avons alors hébergé Philippe Bouvard le temps d'un trimestre. Ce fut alors un choc terrible pour la station de la rue Bayard, qui perdit encore plus d'auditeurs l'après-midi, pendant que nous en gagnions toujours plus.

Ces trois mois furent difficiles à vivre pour Philippe Bouvard. J'imagine qu'il en a un mauvais souvenir et je comprends qu'il ait eu envie de l'effacer de sa mémoire. Il n'est jamais facile de se retrouver chroniqueur dans une émission dont vous pourriez être l'animateur. Qui plus est, je ne me suis jamais caché de m'être inspiré du concept inventé par Roger Kreicher, directeur des programmes de RTL, qui lui-même s'était inspiré d'une émission des années 1950 : *Les Incollables*. En contrepartie, *Les Grosses Têtes* avaient glissé depuis vers le commentaire d'actualité. Les vingt premières années, elles reposaient uniquement sur des questions culturelles posées par Mme Leprieur, d'Agon-Coutainville, ou M. Nicolas Jeick, de Reims.

Quand Philippe Bouvard est retourné dans son corps d'origine, début 2001, il a retrouvé une partie de ses auditeurs à RTL, mais pas tous, et nos deux programmes n'ont jamais été aussi proches l'un de l'autre. D'autant qu'il adopta lui aussi le principe de prendre au téléphone des invités liés à l'actualité du jour et des invités promo. J'ai coutume de dire que, sans le savoir, Philippe Bouvard m'a appris beaucoup pendant dix ans, avant de venir en stage chez moi pendant trois mois.

Parmi les meilleures saisons d'*On va s'gêner*, j'ai évidemment une tendresse toute particulière pour la période pendant laquelle Jean Yanne, puis Jacques Martin nous ont rejoints. C'est par l'intermédiaire de Sophie Garel, qui fut sa compagne et reste la maman de Thomas, que le réalisateur de mon film fétiche, *Tout le monde il est beau, tout le monde il est gentil*, accepta de passer des *Grosses Têtes* à *On va s'gêner*. Jean Yanne reste, sans conteste, le plus drôle des chroniqueurs que j'ai jamais eus.

Jacques Martin avait fait son AVC et perdu ses dimanches télévisés, quand j'ai su par Danièle Évenou qu'il serait heureux de revenir au micro, même s'il avait de grosses difficultés à se déplacer et si son élocution n'était plus aussi parfaite. C'était un événement pour Europe 1 et une période inoubliable pour moi. Le duo radiophonique mythique enfin réuni ! Dès la première émission, malgré les soucis de santé de Jacques, il fallait voir leurs automatismes se réenclencher, leur œil friser et leurs « improvisations » préférées se répéter. J'animais tout en jubilant comme un gamin qui venait de s'offrir un cadeau que tout le monde croyait en rupture de stock.

Hélas, l'un et l'autre nous ont définitivement quittés à quelques années d'intervalle. Je connaissais moins bien Yanne que Martin, mais j'ai le sentiment d'un gâchis terrible pour le premier et j'ai assisté à une fin bouleversante pour le second. Jean Yanne, pour des histoires d'impôts qu'il ne voulait pas payer, n'a pas fait la moitié de ce qu'il aurait pu faire en France, en faisant croire qu'il faisait carrière aux

États-Unis. Jacques Martin a fini ses jours à l'hôtel du Palais de Biarritz, certes dans un cadre luxueux et entouré par sa famille, mais oublié du métier. Je ne suis pas mieux qu'un autre (même si j'essaye !), mais le hasard avait voulu que je choisisse Biarritz comme ville de villégiature favorite (je ne suis « marseillais » que depuis 2011) et j'ai donc vu Jacques dans ses derniers instants. Croyez bien que, si je ne l'avais pas déjà compris, je sais, depuis, que je ne travaille ni pour la postérité ni pour la reconnaissance. Pas besoin de télécommande pour être zappé.

Les premiers matins, aux côtés de Julie, sur Europe 1, j'ai eu l'impression que mon cheveu sur la langue revenait à cause du trac. Succéder à Laurent Gerra n'était pas facile ; je n'allais tout de même pas faire mes piteuses imitations ! Le temps de trouver le ton juste et, grâce à la complicité de Julie, l'accompagnatrice idéale du matin, j'ai assuré pendant trois saisons, de 1999 à 2001, cette chronique de 8 h 45, horaire stratégique. J'écrivais, entre 6 heures et 8 heures, seul au cœur de la rédaction, mon papier sur l'actualité. Je dois être né pour me lever aux aurores.

Je tiens à remercier ici même les journalistes Michel Grossiord et Catherine Nay, qui furent mes premiers supporters. Il n'est jamais évident de débarquer dans une rédaction quand on vient d'une autre radio – je n'avais pas remis les pieds à Europe 1 depuis neuf ans –, qu'on n'est pas journaliste et qu'il s'agit d'intégrer une équipe qu'on ne connaît pas très bien.

On a besoin de soutien. Il me plaît de citer la camaraderie de Catherine Nay, parce qu'à l'écoute de ses éditos il ne va pas de soi que nous étions faits pour nous apprécier. Ceux qui sont parfois les plus radicaux à l'antenne sont parfois des plus agréables dans la vie. Et inversement.

J'ai vécu le même phénomène avec Éric Zemmour. Je ne partage aucune de ses idées, mais en dehors des micros ou des caméras, dans le duo Naulleau-Zemmour, c'est celui des deux dont j'ai le plus apprécié le comportement à la sortie de notre aventure télévisuelle commune. Je bondis quand je lis ses éditos dans le *Figaro Magazine*, mais j'ai le plus grand respect pour sa façon d'être au quotidien.

L'exercice du billet matinal à la radio, s'il ne fallait pas se lever si tôt, est ce qu'il y a de plus valorisant dans ce métier. On défriche les journaux avant les autres, on a la possibilité d'imposer son point de vue et on donne le *la* à des réactions qui vont se multiplier pour le reste de la journée.

Pour la rentrée 2011, le nouveau directeur d'Europe 1, Denis Olivennes, m'a demandé de renouer avec ce défi matinal du billet d'humeur, à 7 h 50. J'ai tenu trois mois avec mon *Presse-Papier* ! C'était incompatible, à cet horaire-là, avec le reste de mes activités : deux quotidiennes, *On n'demande qu'à en rire*, que j'animais encore, *On va s'gêner*, et une hebdo, *On n'est pas couché*. J'avais été trop gourmand !

Je l'ai avoué à mon directeur quand je lui ai appris que je devais renoncer : « Ce n'était pas surhumain, c'était inhumain ! » Sans compter que, pendant l'été précédent, tout un théâtre m'était tombé dessus.

Au beau milieu de juillet 2011, alors que j'étais en pleine mer, sur le bateau de mon amie Péri Cochin, mon portable sonne. C'était Jérôme Lapara-Darès, héritier du Théâtre Antoine. Après les disparitions d'Héléna Bossis et de Daniel Darès, la famille cherchait à vendre ce splendide théâtre à l'italienne du boulevard de Strasbourg, mais n'arrivait pas à faire son choix parmi les différents candidats acquéreurs.

Mais pourquoi moi ? Je n'avais jamais fait savoir que je cherchais à acheter un théâtre et, pour cause, je n'y avais pas pensé moi-même. Dix minutes après cet appel étonnant, autre coïncidence, Jean-Marc Dumontet, propriétaire de Bobino et du Point Virgule, me téléphone pour des détails concernant la tournée de ma dernière pièce, *Parce que je la vole bien*. Je lui explique la proposition que je venais de recevoir. Ni une ni deux, sa réaction fut immédiate : « Achetons-le 50/50. » C'était l'idéal, pour moi.

Jean-Marc Dumontet s'y connaît en gestion et en équilibre économique d'un théâtre, alors que moi, j'ai définitivement rangé dans un tiroir ce qui restait de mes études de comptabilité. Si je m'écoutais, je pourrais ruiner un théâtre dans un seul décor, juste en suivant un metteur en scène dans sa folie.

Nous associer était un pari audacieux reposant sur une confiance mutuelle entre deux hommes qui ne se connaissaient pourtant pas très bien. Force est de constater que notre binôme fonctionne à merveille. Au fil des trois saisons, nous n'avons connu que des bonheurs dans nos choix artistiques communs : *Inconnu à cette adresse*, Line Renaud, Patrick Timsit et Elsa Zylberstein, Florian Zeller, Fabrice Luchini, Michèle Bernier et Frédéric Diefenthal... Aux joies du succès de notre programmation s'ajoute le plaisir de belles rencontres.

Revenons à la radio. *On va s'gêner* a connu de nombreux horaires différents, de 16 h 30 à 18 heures la première année, puis 16 heures-18 heures, puis encore une demi-heure de plus, 16 heures-18 h 30, puis 15 h 30-18 heures, parce que *On n'demande qu'à en rire* était diffusé au même moment sur France 2 et, à nouveau, 16 heures-18 h 30 ces deux dernières saisons. Les auditeurs, toujours plus nombreux, nous ont suivis à chaque fois, même si cette longue aventure a connu quelques soubresauts.

À Europe 1, j'ai connu quatre directions successives. Jérôme Bellay et Muriel Hees, Jean-Pierre Elkabbach, Alexandre Bompard et Philippe Balland, puis Denis Olivennes et Fabien Namias. Je pourrais résumer très simplement ces quatre périodes : Bellay m'a fait venir, Elkabbach a failli me faire partir, Bompard et Balland ont su relancer et dynamiser notre émission, et je regrette que ce soit à Olivennes et à Namias que j'aie dû annoncer mon départ pour RTL. Je regretterai aussi Nicolas Souvant, Vincent Thevenet, Laure Giniès, qui, derrière la vitre du studio, par un sourire ou un fou rire, ont su chaque jour nous motiver et nous faire comprendre, à chaque enregistrement, si ensemble nous faisions bonne ou mauvaise route. On ne dira jamais assez combien ceux qui travaillent dans l'ombre forment les éléments essentiels d'un succès. Après quinze ans dans une même maison et, alors que les audiences n'ont jamais été aussi bonnes, j'ai simplement fait un choix naturel dans mon parcours : il fallait bien qu'un jour ou l'autre j'aille travailler dans la station qui m'avait donné mes premiers émois radiophoniques alors que j'étais encore mineur. C'est la raison majeure pour laquelle j'ai accepté les propositions de Christopher Baldelli et de Jacques Expert, les dirigeants de ma nouvelle adresse. J'ai travaillé pour l'un sur France 2, pour l'autre sur Paris Première, le contact fut d'autant plus facile.

Évidemment, j'entends à nouveau l'antienne : « Il fait ça pour l'argent ! » Qui peut croire ça ? J'ai un théâtre, la télévision m'a déjà enrichi, j'ai la chance de produire des artistes qui cartonnent et je gagnais très bien ma vie à Europe 1, qui, si j'avais voulu faire de la surenchère, se serait facilement alignée sur ses concurrents. Surtout si j'en juge par le budget qu'ils sont prêts à mettre pour conserver une partie de mon équipe. Mes camarades auraient adoré qu'on leur fasse de telles offres pendant les quinze saisons précédentes...

J'aurais pu aussi partir pour RMC, la radio qui monte ; chaque année, je déjeune avec Alain Weil et Frank Lanoux, les sympathiques et efficaces directeurs qui ont fait de Radio Monte-Carlo une radio qui n'a plus rien de monégasque. Ils m'ont régulièrement proposé de rejoindre leurs troupes, et leur dernière proposition avait le mérite d'être innovante. C'était tentant. Bon, il fallait aussi braver les embouteillages parisiens pour rejoindre la porte de Versailles. Pour passer d'Europe 1 à RTL, je n'ai qu'une avenue à traverser, mais plus difficile : un Bouvard périphérique à remplacer !

## 10

# 22, rue Bayard

On ne remplace pas Philippe Bouvard, on lui succède. Je n'essaierai pas de le faire oublier. Il y a trop d'alzheimers précoces dans ce métier pour que j'y participe. J'ai une admiration sans limite pour le professionnel et le parcours incroyable qu'il a réalisé. Je ne connais pas l'homme. Nous n'avons fait que nous croiser et j'ai toujours su me méfier des réputations dont on a vite fait d'abuser dans nos milieux. J'ai appris à ne juger que par moi-même, plutôt que d'écouter les ragots et de me fier aux images qu'on veut bien nous coller. Philippe Bouvard est venu s'abriter trois mois dans *On va s'gêner* et j'ai eu l'honneur qu'il me reçoive comme « Grosse Tête » pendant les quelques semaines où France Inter m'a laissé faire, avant de se raviser.

En 2011, j'ai aussi demandé à Philippe, qui accepta, de faire partie du jury pendant les premières semaines d'*On n'demande qu'à en rire*, sur France 2. Symboliquement, je trouvais que c'était le moindre des hommages d'inviter le créateur du *Petit Théâtre de Bouvard* dans une émission qui allait faire découvrir la nouvelle génération des humoristes (Olivier de Benoist, Kev Adams, Arnaud Tsamere, Jérémy Ferrari, Nicole Ferroni...). Trente ans plus tôt, il avait lancé les carrières de Mimie Mathy, Michèle Bernier, Laspalès et Chevalier, Smaïn, Les Inconnus...

On ne se connaît pas pour autant. Il sait que j'ai du respect pour lui et j'espère qu'il en a pour moi. Quand bien même il aurait une réaction négative à mon égard, elle serait, si ce n'est justifiée, au minimum compréhensible. On ne peut pas laisser son bébé radiophonique à quelque adoptant que ce soit sans en être triste et penser, à juste raison, qu'on en reste le papa. Même si le bébé a 37 ans.

Je vais simplement tout faire pour qu'il continue à bien marcher en espérant ne pas déclencher une « alerte enlèvement ».

Aux auditeurs fidèles de Philippe Bouvard qui pourraient s'inquiéter, je peux tenter de les rassurer en leur rappelant que je me suis trop amusé, dans ma jeunesse, à écouter les Yanne, Martin, Jugnot, Birkin, Dutourd, Castelli, Zitrone, Darie Boutboul et autres... pour ne pas avoir envie de m'éloigner de cet état d'esprit qui en a fait le succès.

Mes amis Pierre Bénichou, Claude Sarraute, Isabelle Mergault, Jean-Pierre Coffe ou Isabelle Alonso, qui, avant de me rejoindre, ont aussi marqué les belles heures de ce rendez-vous, sauront m'aider à rester sur les bons rails. J'aurai tout autant de plaisir à retrouver Jacques Mailhot à qui je dois tant, Bernard Mabille, que je croisais à mes débuts dans les cabarets, Chantal Ladesou ou Jean-Jacques Peroni, qui m'ont toujours étonné.

Pour les auditeurs de feu *On va s'gêner* qui s'interrogent; à la question: « Mais retrouverons-nous aussi Fabrice Éboué, Titoff, Florian Gazan, Michèle Bernier, Christine Bravo, Caroline Diament, Mustapha El Atrassi, Valérie Mairesse, Yann Moix, Guy Carlier, Steevy Boulay ou Philippe Geluck?... », la réponse est: oui!

À nous, avec mon fidèle réalisateur François Renucci et mon programmateur Anthony Bloch, de savoir faire prendre la mayonnaise. Quand on a les bons ingrédients et qu'on a l'expérience du tour de main, les risques sont plus limités. Il va de soi que *Les Grosses Têtes* devront savoir aussi s'ouvrir à d'autres talents, anciens ou nouveaux, qui permettront que l'enfant de Philippe Bouvard et de RTL continue à nous enchanter encore longtemps. J'ai quelques idées, mais je préfère vous en réserver la surprise. Je sais que je demande beaucoup à ceux qui m'ont suivi de France Inter à Europe 1 en les invitant à m'accompagner sur une troisième radio, mais vous aurez compris que, sans retomber en enfance, c'est un rêve de jeunesse que j'ai envie de vous faire partager.

Du Havre à Paris en passant par Rouen, j'ai navigué sur les ondes sans quitter la Seine et j'espère que cette

*Radiographie* vous a donné confiance pour embarquer avec moi jusqu'à une nouvelle escale...

FIN

# Jacques Ramade

*Jacques Ramade nous a quittés en juillet 2013 à la suite d'une longue maladie... Lui qui préférait les brèves! C'est en 1988, au Caveau de la République, que je vis pour la première fois ce chansonnier à la voix de fausset déclencher les rires grâce à sa fausse* Gym Tonic, *à ses brèves et à son aérobic corse. À peine engagé par Jean Amadou sur Europe 1, je l'emmenais dans mon sillage pour travailler avec moi. Pessimiste de nature, il m'avait dit: «Ils ne vont pas nous garder longtemps!»*

*En 1990, je le présentais à Jacques Martin pour qu'il nous rejoigne dans* Ainsi font, font, font. *J'en suis parti avant lui, qui continuera à jouer le facteur et à écrire des parodies jusqu'en 1996. Il me disait chaque année: «Tu sais, ça va s'arrêter.»*

*En 1991, je l'ai fait venir à France Inter pour* Ferme la fenêtre pour les moustiques, *une quotidienne estivale avec Frédéric Lebon (qui nous a quittés aussi cette année). Je l'entends encore: «Deux heures tous les jours, je ne crois pas qu'on va y arriver!» Septembre 1991, c'est* Rien à cirer *tous les dimanches sur France Inter. Il me prévint: «Oh, là, là, là, faire oublier* L'Oreille en coin, *c'est impossible.» L'année suivante,* Rien à cirer *devenait quotidienne et il me redit: «Tous les jours, mais c'est de la folie!» Quinze ans plus tard, quand je l'emmenai dans mes bagages de France Inter à Europe 1, il réitéra les mêmes doutes.*

*En vingt-cinq ans de carrière commune, deux fois il eut raison. En 1995, pour* Les Niouzes, *sur TF1, qui durèrent cinq jours grâce à la bonbonne de gaz qu'il exhiba sur ses genoux en conseillant: «Pour avoir de la place dans le métro», alors qu'on était en plein attentats terroristes dans Paris. Le 29 juin 2013, l'appelant pour prendre des nouvelles, il me répondit que c'étaient ses derniers jours. C'est la seule fois où je l'ai cru et j'en suis encore bien triste.*

# Table